Guide de conjugaison

L'EXPERT en *conjugaison*

Virginie Krysztofiak

Paul Ste-Marie

Depuis le 1er avril 2004, les Éditions HRW affichent
une nouvelle raison sociale, soit Éditions Grand Duc ▪ HRW.

Éditions Grand Duc ▪ HRW
Groupe Éducalivres inc.
955, rue Bergar, Laval (Québec) H7L 4Z6
Téléphone: (514) 334-8466 ▪ Télécopie: (514) 334-8387
InfoService: 1 800 567-3671

Remerciements

Pour son travail de vérification scientifique, l'Éditeur témoigne sa gratitude à M. Sylvio Richard.

Pour leurs suggestions et leurs judicieux commentaires à l'une ou l'autre des étapes du projet, l'Éditeur tient à remercier les personnes suivantes :

Mme Françoise Assaad, enseignante, La Villa Sainte-Marcelline ;
Mme Isabelle Bruneau, enseignante, École secondaire Mont-Bénilde ;
Mme Chantale Carette, enseignante, École secondaire Louis-Jobin, Commission scolaire de Portneuf ;
M. François D'Amours, enseignant, École secondaire Notre-Dame ;
Mme Jocelyne Dulac-Blais, enseignante, Séminaire Saint-François ;
Mme Christine Fiset, enseignante, École secondaire Donnacona, Commission scolaire de Portneuf ;
M. Luc Germain, enseignant, École secondaire Mont-Bénilde ;
Mme Joanne L'Héreault, enseignante, École secondaire Marcellin-Champagnat ;
Mme Christine Laberge, enseignante, Collège Mont-Saint-Louis ;
Mme Danielle Longchamp, enseignante, École secondaire Augustin-Norbert-Morin, Commission scolaire des Laurentides ;
Mme Élaine Marquis, enseignante, Collège Saint-Louis, Commission scolaire Marguerite-Bourgeoys ;
M. Jean Papillon, enseignant, École secondaire de Neufchâtel, Commission scolaire de la Capitale ;
Mme Martine Paquin, enseignante, École secondaire Saint-Luc, Commission scolaire de Montréal ;
Mme Diane Perron, enseignante, École secondaire Saint-Laurent (pavillon Saint-Germain), Commission scolaire Marguerite-Bourgeoys ;
Mme Louise Raymond, enseignante, Pensionnat du Saint-Nom-de-Marie.

Guide de conjugaison

Nous reconnaissons l'aide financière du gouvernement du Canada par l'entremise du Programme d'aide au développement de l'industrie de l'édition (PADIÉ) pour nos activités d'édition.

CODE PRODUIT 3330
ISBN 0-03-928725-4

Dépôt légal – 2e trimestre
Bibliothèque nationale du Québec, 2004
Bibliothèque nationale du Canada, 2004

Imprimé au Canada
1 2 3 4 5 6 7 8 9 0 II 3 2 1 0 9 8 7 6 5 4

Merci derek de
me passer ton exp[illegible]t,
C'est gentil de [illegible] part :)

P.S. ton chien à côté
de ton nom est
très mignon :)

XOXOXOX

Table des matières

Mode d'emploi

❶ Rechercher l'infinitif d'un verbe dans la section *Index des verbes*

Dans l'*Index des verbes*, les infinitifs sont présentés dans l'ordre alphabétique.

Exemple : Pour trouver la conjugaison du verbe ***changer***.

cascader – châtier

cascader (é, *inv.*)	12	**chagriner** (é, ée)	12
caser (é, ée) PR	12	**chahuter** (é, ée)	12
caserner (é, ée)	12	**chaîner** (é, ée)	12
casquer (é, ée)	12	**chaloir** *Ne s'emploie que dans l'expression « peu me (m'en) chaut ».*	
casser (é, ée) PR	12	**chalouper** (é, *inv.*)	12
castagner (é, ée) PR	15	se **chamailler** (é, ée)	12
castrer (é, ée)	12	**chamarrer** (é, ée)	35
cataloguer (é, ée)	12	**chambarder** (é, ée)	12
catalyser (é, ée)	12	**chambouler** (é, ée)	12
catapulter (é, ée)	12	**chambrer** (é, ée)	12
catastropher (é, ée)	12	**chamoiser** (é, ée)	12
catcher (é, *inv.*)	12	**champagniser** (é, ée)	12
catéchiser (é, ée)	12	**champlever** (é, ée)	27
catir (i, ie)	43	**chanceler** (é, *inv.*)	29
cauchemarder (é, *inv.*)	12	**chancir** (i, *inv.*) PR	47
causer (é, ée)	12	**chanfreiner** (é, ée)	12
cautériser (é, ée)	12	**changer** (é, ée) A/E PR	14
cautionner (é, ée)	12	**chansonner** (é, ée)	12
cavalcader (é, *inv.*)	12	**chanter** (é, ée)	12
cavaler (é, ée) PR	12	**chantonner** (é, ée)	12
caver (é, ée) PR	12	**chantourner** (é, ée)	12
caviarder (é, ée)	12	**chaparder** (é, ée)	12
▷ **céder** (é, ée)	16	**chapeauter** (é, ée)	12
ceindre *ceint, ceinte*	98	**chaperonner** (é, ée)	12
ceinturer (é, ée)	34	**chapitrer** (é, ée)	12
▷ **célébrer** (é, ée)	19	**chaponner** (é, ée)	12
celer (é, ée)	28	**chaptaliser** (é, ée)	12
cémenter (é, ée)	12	**charbonner** (é, ée)	12
cendrer (é, ée)	12	**charcuter** (é, ée) PR	12
censurer (é, ée)	34	**charger** (é, ée) PR	14
centraliser (é, ée)	12	**charmer** (é, ée)	12
centrer (é, ée)	12	**charpenter** (é, ée)	12
centrifuger (é, ée)	14	**charrier** (é, ée)	32
centupler (é, ée)	12	**charroyer** (é, ée)	37
cercler (é, ée)	12	**chartériser** (é, ée)	12
cerner (é, ée)	12	**chasser** (é, ée)	12
certifier (é, ée)	32	**châtaigner** (é, ée) PR	15
césariser (é, ée)	12	**châtier** (é, ée) PR	32
cesser (é, ée)	12		

auxiliaire *être* auxiliaires *avoir* ou *être* — Index des verbes 177

champlever (é, ée)	27
chanceler (é, *inv.*)	29
chancir (i, *inv.*) PR	47
chanfreiner (é, ée)	12
changer (é, ée) A/E PR	14

Le numéro de page indiqué (**14**) renvoie au tableau de conjugaison à consulter.

14 manger

▷ Le « g » du radical devient « ge » devant les voyelles *a* et *o* pour conserver la prononciation [ʒ].

Présent		**Passé composé**		
je	mange	j'	ai	mangé
tu	manges	tu	as	mangé
il	mange	il	a	mangé
nous	mangeons	nous	avons	mangé
vous	mangez	vous	avez	mangé
ils	mangent	ils	ont	mangé

Imparfait		**Plus-que-parfait**		
je	mangeais	j'	avais	mangé
tu	mangeais	tu	avais	mangé
il	mangeait	il	avait	mangé
nous	mangions	nous	avions	mangé
vous	mangiez	vous	aviez	mangé
ils	mangeaient	ils	avaient	mangé

Passé simple		**Passé antérieur**		
je	mangeai	j'	eus	mangé
tu	mangeas	tu	eus	mangé
il	mangea	il	eut	mangé
nous	mangeâmes	nous	eûmes	mangé
vous	mangeâtes	vous	eûtes	mangé
ils	mangèrent	ils	eurent	mangé

Futur simple		**Futur antérieur**		
je	mangerai	j'	aurai	mangé
tu	mangeras	tu	auras	mangé
il	mangera	il	aura	mangé
nous	mangerons	nous	aurons	mangé
vous	mangerez	vous	aurez	mangé
ils	mangeront	ils	auront	mangé

Conditionnel présent		**Conditionnel passé**		
je	mangerais	j'	aurais	mangé
tu	mangerais	tu	aurais	mangé
il	mangerait	il	aurait	mangé
nous	mangerions	nous	aurions	mangé
vous	mangeriez	vous	auriez	mangé
ils	mangeraient	ils	auraient	mangé

Présent *il faut…*		**Passé** *il faut…*		
que je	mange	que j'	aie	mangé
que tu	manges	que tu	aies	mangé
qu'il	mange	qu'il	ait	mangé
que nous	mangions	que nous	ayons	mangé
que vous	mangiez	que vous	ayez	mangé
qu'ils	mangent	qu'ils	aient	mangé

Imparfait *il fallait…*		**Plus-que-parfait** *il fallait…*		
que je	mangeasse	que j'	eusse	mangé
que tu	mangeasses	que tu	eusses	mangé
qu'il	mangeât	qu'il	eût	mangé
que nous	mangeassions	que nous	eussions	mangé
que vous	mangeassiez	que vous	eussiez	mangé
qu'ils	mangeassent	qu'ils	eussent	mangé

Présent	**Passé**	
mange	aie	mangé
mangeons	ayons	mangé
mangez	ayez	mangé

Présent	**Passé**	
manger	avoir	mangé

Présent	**Passé**	
mangeant	mangé, ée, és, ées	
	ayant	mangé

Tableaux de conjugaison

❷ Consulter le verbe modèle dans la section *Tableaux de conjugaison*

On trouve dans chaque tableau toute l'information nécessaire pour conjuguer un verbe.

Les terminaisons des temps simples sont de couleur.

Les particularités ou les difficultés du verbe modèle sont surlignées.

Imparfait		**Plus-que-parfait**		
je	mangeais	j'	avais	mangé
tu	mangeais	tu	avais	mangé
il	mangeait	il	avait	mangé
nous	mangions	nous	avions	mangé
vous	mangiez	vous	aviez	mangé
ils	mangeaient	ils	avaient	mangé

❸ Conjuguer le verbe de son choix

Exemple : Pour conjuguer le verbe ***changer*** à l'**imparfait de l'indicatif,** on consulte le tableau du verbe ***manger*** **(14)** et on remplace les radicaux *mang-* et *mange-* par ceux du verbe ***changer***, *chang-* et *change-*.

Imparfait		**Plus-que-parfait**		
je	mangeais	j'	avais	mangé
tu	mangeais	tu	avais	mangé
il	mangeait	il	avait	mangé
nous	mangions	nous	avions	mangé
vous	mangiez	vous	aviez	mangé
ils	mangeaient	ils	avaient	mangé

je	**change ais**
tu	**change ais**
il, elle	**change ait**
nous	**chang ions**
vous	**chang iez**
ils, elles	**change aient**

Comment trouver l'infinitif d'un verbe conjugué

Pour consulter l'*Index des verbes,* il faut connaître avant tout l'infinitif du verbe recherché.

L'infinitif des verbes peut se terminer par : ***-er***, ***-ir***, ***-re*** ou ***-oir***.

Exemple

-***er*** comme dans *aim**er**, mang**er**, pay**er**, all**er**,* etc.

-***ir*** comme dans *fin**ir**, fu**ir**, cour**ir**, offr**ir**,* etc.

-***re*** comme dans *croi**re**, prend**re**, vend**re**, écri**re**,* etc.

-***oir*** comme dans *v**oir**, val**oir**, asse**oir**, pleuv**oir**,* etc.

Index des difficultés
(formes conjuguées particulières)

L'*Index des difficultés,* à la page **247**, présente quelques verbes conjugués dont les formes sont parfois éloignées de leur infinitif.

perçu ; je **perçus** ; je **perçusse (percevoir)** ....
plu ; je **plus…** il, elle **plut** ; je **plusse** ....
plu ; il **plut** ....
je **prenais** ; je **prenne** ....
je **prévis** ; je **prévisse** ....
pris ; je **pris** ; je **prisse** ....

Mot de l'Éditeur

Plusieurs considèrent que la conjugaison est l'une des difficultés les plus communes dans la maîtrise de la langue française. En effet, non seulement faut-il maîtriser la formation des temps conjugués (le présent de l'indicatif, le passé composé, l'imparfait, le conditionnel présent, etc.), mais il est souvent nécessaire de connaître ou de vérifier les particularités de certains verbes réguliers ou celles des verbes irréguliers. Tous et toutes, qu'il s'agisse d'élèves du primaire ou du secondaire, d'intervenants et d'intervenantes du milieu scolaire ou de professionnels et de professionnelles en rédaction, ont généralement recours, à un moment ou à un autre, à un guide de conjugaison.

Cependant, la plupart des guides de conjugaison existants sont complexes, souvent non conformes à la grammaire en usage ou difficiles à consulter. La majorité de ces ouvrages ne tiennent pas compte du fait que les élèves sont d'abord et avant tout des apprenants et des apprenantes. Dès lors, peu ou pas de moyens pédagogiques ne sont mis à la disposition des élèves pour qu'ils et elles puissent repérer et conjuguer facilement les verbes.

De nombreuses consultations auprès des enseignants, des enseignantes et des parents ont amené l'équipe de conception de *L'expert en conjugaison* à élaborer un guide tout en couleurs, qui s'adresse plus particulièrement aux élèves du secondaire, mais aussi à ceux du post-secondaire ainsi qu'au grand public. Les concepteurs de ce guide ont eu l'ambition de mieux outiller les élèves pour que ceux-ci et celles-ci se sentent compétents en conjugaison. Leur stratégie a consisté à produire un guide qui, par sa présentation visuelle, la clarté et la lisibilité de ses tableaux et de son index des verbes, ainsi que la section consacrée à la grammaire du verbe, se distingue des ouvrages souvent arides, sinon austères, auxquels on associe trop souvent la conjugaison.

La section *Tableaux de conjugaison*

Cette section comporte une sélection de 119 tableaux de verbes modèles représentant l'ensemble de la conjugaison. Les en-têtes et les terminaisons de couleur permettent de conjuguer plus facilement un verbe donné selon son verbe modèle. Les notes de haut de page signalent les éléments de difficulté qui sont surlignés dans les tableaux afin de les mettre en évidence. Aux verbes irréguliers, s'ajoute une liste de verbes se conjuguant comme le verbe modèle, qui vient compléter les éléments d'information donnés à l'élève.

Cette section du guide débute par la présentation des verbes *avoir* et *être* et de cinq tableaux modèles portant sur la conjugaison des verbes dits actifs, du verbe de la phrase passive, du verbe pronominal et du verbe impersonnel.

La couleur des en-têtes des verbes modèles permet de distinguer les conjugaisons régulières des conjugaisons irrégulières :

- les en-têtes des verbes réguliers en *-er* sont en **bleu** ;
- les en-têtes des verbes réguliers en *-ir* faisant *-issant* au participe présent sont en **vert** ;
- les en-têtes des verbes irréguliers en ***-er***, ***-ir***, ***-re*** et ***-oir*** sont en **rouge.**

Le choix de la couleur rouge pour les verbes irréguliers est délibéré. Alors que les conjugaisons des verbes en *-er* (à l'exception du verbe *aller*) et des verbes en *-ir*/*-issant* sont régulières (on peut raisonnablement déduire la majorité des formes conjuguées en appliquant les terminaisons usuelles aux radicaux de ces verbes), les conjugaisons des verbes irréguliers sont, quant à elles, beaucoup plus complexes. Un verbe irrégulier peut, par exemple, posséder de deux à cinq radicaux différents, ce qui rend la déduction des formes conjuguées plus hasardeuse. L'utilisation du rouge permet donc d'attirer immédiatement l'attention des élèves sur les difficultés d'une conjugaison comportant des irrégularités.

Au début de chaque sous-section (pages 9, 42, 49, 69 et 111), on présente la liste des verbes modèles avec leurs caractéristiques, particularités, autres verbes se conjuguant sur le même modèle et nombre d'occurrences (nombre de verbes dans l'*Index des verbes* se conjuguant sur un même modèle). Ces renseignements sont très utiles aux enseignants et aux enseignantes qui désirent privilégier l'apprentissage de certaines conjugaisons.

La section *Index des verbes*

L'*Index des verbes* présente une sélection de plus de 6000 verbes dont on peut trouver la définition dans la plupart des dictionnaires usuels. Cette sélection de verbes repose sur le fait qu'il est toujours plus facile de consulter un index exempt de verbes rares (qui ne sont définis que dans les dictionnaires encyclopédiques).

Afin de faciliter la lisibilité et le repérage dans l'index, les verbes réguliers sont en noir alors que les verbes irréguliers sont en rouge. Les participes passés au masculin et au féminin[1] singulier sont fournis pour tous les verbes[2]. De plus, des pictogrammes fournissent des renseignements supplémentaires sur certains verbes : l'emploi de l'auxiliaire *être* ou des deux auxiliaires (*être* et *avoir*), l'emploi des verbes essentiellement (toujours) pronominaux, des verbes occasionnellement (parfois) pronominaux et les verbes impersonnels.

---

[1] Lorsque le participe passé est invariable, il est suivi de la mention « *inv.* ».
[2] Quelques verbes, comme *accroire* ou *paître*, n'ont pas de participe passé.

La section *Grammaire du verbe*

Cette section présente un condensé de la grammaire du verbe : les catégories de verbes, la conjugaison des temps simples et composés, l'accord du verbe avec le groupe sujet et l'accord du participe passé. Utilisée en contexte de correction et de révision, cette section présente de façon pratique les éléments les plus souvent consultés par les élèves. L'*Index de la grammaire du verbe,* à la page 248, permet de trouver rapidement l'information recherchée.

L'expert en conjugaison et le nouveau programme de français

La conjugaison fait partie des notions et des concepts que les élèves doivent intégrer dans le développement de leurs compétences. Le recours à des guides ou à des tableaux de conjugaison est une stratégie de correction et de révision des textes présente au programme. L'utilisation d'ouvrages de référence se développe aisément dans la mesure où les élèves disposent d'outils de consultation adaptés à leurs besoins et qu'ils et elles peuvent exploiter de façon autonome.

Naturellement, l'utilisation d'un guide ou de tableaux de conjugaison pour obtenir la conjugaison d'un verbe ne devrait pas favoriser une attitude passive. L'objectif visé est, bien entendu, d'amener les élèves à tirer profit de l'utilisation d'un ouvrage comme *L'expert en conjugaison* afin de gagner en autonomie et donc en maîtrise de la conjugaison. En raison de son approche diagnostique des particularités des verbes modèles, *L'expert en conjugaison* amène les élèves en situation d'apprentissage à percevoir la conjugaison comme un système comprenant des récurrences et des particularités notamment grâce aux terminaisons des verbes de couleur qui en renforcent la compréhension tout en permettant à l'élève d'obtenir facilement la conjugaison d'un verbe donné.

Les temps du mode subjonctif, dont l'exploitation semble parfois abstraite pour les élèves, ont été mis en contexte en insérant *Il faut...* et *Il fallait...* afin d'en faciliter la compréhension. De plus, considérant qu'il peut être parfois difficile de trouver l'infinitif d'une forme conjuguée, (par exemple l'infinitif de *je naquis*), on présente un *Index des difficultés,* à la page 247, qui permet de repérer plus aisément plusieurs infinitifs.

Les caractéristiques de *L'expert en conjugaison* faciliteront les apprentissages de vos élèves en les motivant à devenir de véritables experts et expertes en conjugaison.

Tableaux de conjugaison

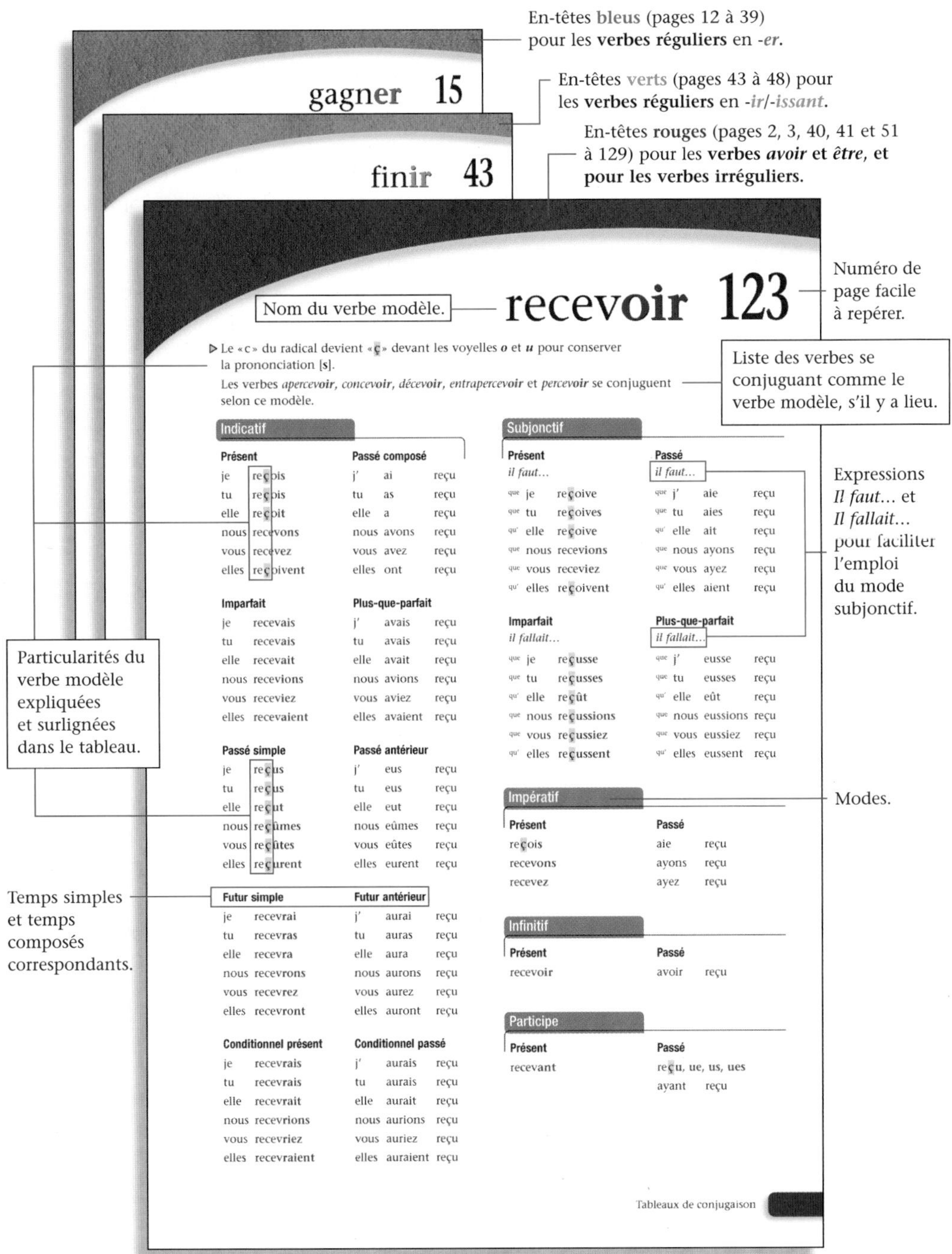

▷ Le « c » du radical devient « ç » devant les voyelles *o* et *u* pour conserver la prononciation [s].
Les verbes *apercevoir*, *concevoir*, *décevoir*, *entrapercevoir* et *percevoir* se conjuguent selon ce modèle.

Indicatif

Présent	Passé composé
je reçois	j' ai reçu
tu reçois	tu as reçu
elle reçoit	elle a reçu
nous recevons	nous avons reçu
vous recevez	vous avez reçu
elles reçoivent	elles ont reçu

Imparfait	Plus-que-parfait
je recevais	j' avais reçu
tu recevais	tu avais reçu
elle recevait	elle avait reçu
nous recevions	nous avions reçu
vous receviez	vous aviez reçu
elles recevaient	elles avaient reçu

Passé simple	Passé antérieur
je reçus	j' eus reçu
tu reçus	tu eus reçu
elle reçut	elle eut reçu
nous reçûmes	nous eûmes reçu
vous reçûtes	vous eûtes reçu
elles reçurent	elles eurent reçu

Futur simple	Futur antérieur
je recevrai	j' aurai reçu
tu recevras	tu auras reçu
elle recevra	elle aura reçu
nous recevrons	nous aurons reçu
vous recevrez	vous aurez reçu
elles recevront	elles auront reçu

Conditionnel présent	Conditionnel passé
je recevrais	j' aurais reçu
tu recevrais	tu aurais reçu
elle recevrait	elle aurait reçu
nous recevrions	nous aurions reçu
vous recevriez	vous auriez reçu
elles recevraient	elles auraient reçu

Subjonctif

Présent *il faut...*	Passé *il faut...*
que je reçoive	que j' aie reçu
que tu reçoives	que tu aies reçu
qu' elle reçoive	qu' elle ait reçu
que nous recevions	que nous ayons reçu
que vous receviez	que vous ayez reçu
qu' elles reçoivent	qu' elles aient reçu

Imparfait *il fallait...*	Plus-que-parfait *il fallait...*
que je reçusse	que j' eusse reçu
que tu reçusses	que tu eusses reçu
qu' elle reçût	qu' elle eût reçu
que nous reçussions	que nous eussions reçu
que vous reçussiez	que vous eussiez reçu
qu' elles reçussent	qu' elles eussent reçu

Impératif

Présent	Passé
reçois	aie reçu
recevons	ayons reçu
recevez	ayez reçu

Infinitif

Présent	Passé
recevoir	avoir reçu

Participe

Présent	Passé
recevant	reçu, ue, us, ues
	ayant reçu

Tableaux de conjugaison

2 avoir

Le **verbe *avoir*** est un **verbe transitif**: ***J'ai*** *deux chats et un chien.*

Voir **Le verbe transitif** à la page 132.

On utilise l'**auxiliaire de conjugaison *avoir*** avec les participes passés pour former les temps composés de la majorité des verbes actifs (voir le tableau **4**).

Indicatif

Présent		Passé composé		
j'	ai	j'	ai	eu
tu	as	tu	as	eu
il	a	il	a	eu
nous	avons	nous	avons	eu
vous	avez	vous	avez	eu
ils	ont	ils	ont	eu

Imparfait		Plus-que-parfait		
j'	avais	j'	avais	eu
tu	avais	tu	avais	eu
il	avait	il	avait	eu
nous	avions	nous	avions	eu
vous	aviez	vous	aviez	eu
ils	avaient	ils	avaient	eu

Passé simple		Passé antérieur		
j'	eus	j'	eus	eu
tu	eus	tu	eus	eu
il	eut	il	eut	eu
nous	eûmes	nous	eûmes	eu
vous	eûtes	vous	eûtes	eu
ils	eurent	ils	eurent	eu

Futur simple		Futur antérieur		
j'	aurai	j'	aurai	eu
tu	auras	tu	auras	eu
il	aura	il	aura	eu
nous	aurons	nous	aurons	eu
vous	aurez	vous	aurez	eu
ils	auront	ils	auront	eu

Conditionnel présent		Conditionnel passé		
j'	aurais	j'	aurais	eu
tu	aurais	tu	aurais	eu
il	aurait	il	aurait	eu
nous	aurions	nous	aurions	eu
vous	auriez	vous	auriez	eu
ils	auraient	ils	auraient	eu

Subjonctif

Présent *il faut...*		Passé *il faut...*		
que j'	aie	que j'	aie	eu
que tu	aies	que tu	aies	eu
qu' il	ait	qu' il	ait	eu
que nous	ayons	que nous	ayons	eu
que vous	ayez	que vous	ayez	eu
qu' ils	aient	qu' ils	aient	eu

Imparfait *il fallait...*		Plus-que-parfait *il fallait...*		
que j'	eusse	que j'	eusse	eu
que tu	eusses	que tu	eusses	eu
qu' il	eût	qu' il	eût	eu
que nous	eussions	que nous	eussions	eu
que vous	eussiez	que vous	eussiez	eu
qu' ils	eussent	qu' ils	eussent	eu

Impératif

Présent	Passé	
aie	aie	eu
ayons	ayons	eu
ayez	ayez	eu

Infinitif

Présent	Passé	
avoir	avoir	eu

Participe

Présent	Passé	
ayant	eu, eue, eus, eues	
	ayant	eu

être 3

Le **verbe *être*** est un **verbe attributif** : *Je **suis** satisfait de mon travail.*

Voir **Le verbe attributif** à la page 135.

On emploie l'**auxiliaire de conjugaison *être*** pour conjuguer certains verbes actifs, les verbes pronominaux et les verbes des phrases passives (voir les tableaux **5** à **7**).

Indicatif

Présent		Passé composé		
je	suis	j'	ai	été
tu	es	tu	as	été
elle	est	elle	a	été
nous	sommes	nous	avons	été
vous	êtes	vous	avez	été
elles	sont	elles	ont	été

Imparfait		Plus-que-parfait		
j'	étais	j'	avais	été
tu	étais	tu	avais	été
elle	était	elle	avait	été
nous	étions	nous	avions	été
vous	étiez	vous	aviez	été
elles	étaient	elles	avaient	été

Passé simple		Passé antérieur		
je	fus	j'	eus	été
tu	fus	tu	eus	été
elle	fut	elle	eut	été
nous	fûmes	nous	eûmes	été
vous	fûtes	vous	eûtes	été
elles	furent	elles	eurent	été

Futur simple		Futur antérieur		
je	serai	j'	aurai	été
tu	seras	tu	auras	été
elle	sera	elle	aura	été
nous	serons	nous	aurons	été
vous	serez	vous	aurez	été
elles	seront	elles	auront	été

Conditionnel présent		Conditionnel passé		
je	serais	j'	aurais	été
tu	serais	tu	aurais	été
elle	serait	elle	aurait	été
nous	serions	nous	aurions	été
vous	seriez	vous	auriez	été
elles	seraient	elles	auraient	été

Subjonctif

Présent *il faut...*			Passé *il faut...*			
que	je	sois	que	j'	aie	été
que	tu	sois	que	tu	aies	été
qu'	elle	soit	qu'	elle	ait	été
que	nous	soyons	que	nous	ayons	été
que	vous	soyez	que	vous	ayez	été
qu'	elles	soient	qu'	elles	aient	été

Imparfait *il fallait...*			Plus-que-parfait *il fallait...*			
que	je	fusse	que	j'	eusse	été
que	tu	fusses	que	tu	eusses	été
qu'	elle	fût	qu'	elle	eût	été
que	nous	fussions	que	nous	eussions	été
que	vous	fussiez	que	vous	eussiez	été
qu'	elles	fussent	qu'	elles	eussent	été

Impératif

Présent	Passé	
sois	aie	été
soyons	ayons	été
soyez	ayez	été

Infinitif

Présent	Passé	
être	avoir	été

Participe

Présent	Passé	
étant	été (*invariable*)	
	ayant	été

4 verbe actif avec *avoir*

aider

La majorité des verbes actifs forment leurs temps composés avec l'auxiliaire de conjugaison *avoir*.

Voir **L'accord du participe passé avec l'auxiliaire *avoir*** à la page 163.

Indicatif

Présent		Passé composé		
j'	aide	j'	ai	aidé
tu	aides	tu	as	aidé
il	aide	il	a	aidé
nous	aidons	nous	avons	aidé
vous	aidez	vous	avez	aidé
ils	aident	ils	ont	aidé

Imparfait		Plus-que-parfait		
j'	aidais	j'	avais	aidé
tu	aidais	tu	avais	aidé
il	aidait	il	avait	aidé
nous	aidions	nous	avions	aidé
vous	aidiez	vous	aviez	aidé
ils	aidaient	ils	avaient	aidé

Passé simple		Passé antérieur		
j'	aidai	j'	eus	aidé
tu	aidas	tu	eus	aidé
il	aida	il	eut	aidé
nous	aidâmes	nous	eûmes	aidé
vous	aidâtes	vous	eûtes	aidé
ils	aidèrent	ils	eurent	aidé

Futur simple		Futur antérieur		
j'	aiderai	j'	aurai	aidé
tu	aideras	tu	auras	aidé
il	aidera	il	aura	aidé
nous	aiderons	nous	aurons	aidé
vous	aiderez	vous	aurez	aidé
ils	aideront	ils	auront	aidé

Conditionnel présent		Conditionnel passé		
j'	aiderais	j'	aurais	aidé
tu	aiderais	tu	aurais	aidé
il	aiderait	il	aurait	aidé
nous	aiderions	nous	aurions	aidé
vous	aideriez	vous	auriez	aidé
ils	aideraient	ils	auraient	aidé

Subjonctif

Présent *il faut...*		Passé *il faut...*		
que j'	aide	que j'	aie	aidé
que tu	aides	que tu	aies	aidé
qu' il	aide	qu' il	ait	aidé
que nous	aidions	que nous	ayons	aidé
que vous	aidiez	que vous	ayez	aidé
qu' ils	aident	qu' ils	aient	aidé

Imparfait *il fallait...*		Plus-que-parfait *il fallait...*		
que j'	aidasse	que j'	eusse	aidé
que tu	aidasses	que tu	eusses	aidé
qu' il	aidât	qu' il	eût	aidé
que nous	aidassions	que nous	eussions	aidé
que vous	aidassiez	que vous	eussiez	aidé
qu' ils	aidassent	qu' ils	eussent	aidé

Impératif

Présent	Passé	
aide	aie	aidé
aidons	ayons	aidé
aidez	ayez	aidé

Infinitif

Présent	Passé	
aider	avoir	aidé

Participe

Présent	Passé	
aidant	aidé, ée, és, ées	
	ayant	aidé

verbe de la phrase passive

être aidé, ée, és, ées

5

Les verbes de la phrase passive forment toujours leurs temps simples et leurs temps composés avec l'auxiliaire *être.*

Voir **Le verbe de la phrase passive** à la page 135.

Voir **L'accord du participe passé avec l'auxiliaire *être*** à la page 161.

Indicatif

Présent			**Passé composé**		
je	suis	aidé, ée	j'	ai	été aidé, ée
tu	es	aidé, ée	tu	as	été aidé, ée
il, elle	est	aidé, ée	il, elle	a	été aidé, ée
nous	sommes	aidés, ées	nous	auraient	été aidés, ées
vous	êtes	aidés, ées	vous	avez	été aidés, ées
ils, elles	sont	aidés, ées	ils, elles	ont	été aidés, ées

Imparfait			**Plus-que-parfait**		
j'	étais	aidé, ée	j'	avais	été aidé, ée
tu	étais	aidé, ée	tu	avais	été aidé, ée
il, elle	était	aidé, ée	il, elle	avait	été aidé, ée
nous	étions	aidés, ées	nous	avions	été aidés, ées
vous	étiez	aidés, ées	vous	aviez	été aidés, ées
ils, elles	étaient	aidés, ées	ils, elles	avaient	été aidés, ées

Passé simple			**Passé antérieur**		
je	fus	aidé, ée	j'	eus	été aidé, ée
tu	fus	aidé, ée	tu	eus	été aidé, ée
il, elle	fut	aidé, ée	il, elle	eut	été aidé, ée
nous	fûmes	aidés, ées	nous	eûmes	été aidés, ées
vous	fûtes	aidés, ées	vous	eûtes	été aidés, ées
ils, elles	furent	aidés, ées	ils, elles	eurent	été aidés, ées

Futur simple			**Futur antérieur**		
je	serai	aidé, ée	j'	aurai	été aidé, ée
tu	seras	aidé, ée	tu	auras	été aidé, ée
il, elle	sera	aidé, ée	il, elle	aura	été aidé, ée
nous	serons	aidés, ées	nous	aurons	été aidés, ées
vous	serez	aidés, ées	vous	aurez	été aidés, ées
ils, elles	seront	aidés, ées	ils, elles	auront	été aidés, ées

Conditionnel présent			**Conditionnel passé**		
je	serais	aidé, ée	j'	aurais	été aidé, ée
tu	serais	aidé, ée	tu	aurais	été aidé, ée
il, elle	serait	aidé, ée	il, elle	aurait	été aidé, ée
nous	serions	aidés, ées	nous	aurions	été aidés, ées
vous	seriez	aidés, ées	vous	auriez	été aidés, ées
ils, elles	seraient	aidés, ées	ils, elles	auraient	été aidés, ées

Subjonctif

Présent *il faut...*			**Passé** *il faut...*		
que je	sois	aidé, ée	que j'	aie	été aidé, ée
que tu	sois	aidé, ée	que tu	aies	été aidé, ée
qu' il, elle	soit	aidé, ée	qu' il, elle	ait	été aidé, ée
que nous	soyons	aidés, ées	que nous	ayons	été aidés, ées
que vous	soyez	aidés, ées	que vous	ayez	été aidés, ées
qu' ils, elles	soient	aidés, ées	qu' ils, elles	aient	été aidés, ées

Imparfait *il fallait...*			**Plus-que-parfait** *il fallait...*		
que je	fusse	aidé, ée	que j'	eusse	été aidé, ée
que tu	fusses	aidé, ée	que tu	eusses	été aidé, ée
qu' il, elle	fût	aidé, ée	qu' il, elle	eût	été aidé, ée
que nous	fussions	aidés, ées	que nous	eussions	été aidés, ées
que vous	fussiez	aidés, ées	que vous	eussiez	été aidés, ées
qu' ils, elles	fussent	aidés, ées	qu' ils, elles	eussent	été aidés, ées

Impératif

Présent		**Passé**	
sois	aidé, ée	aie	été aidé, ée
soyons	aidés, ées	ayons	été aidés, ées
soyez	aidés, ées	ayez	été aidés, ées

Infinitif

Présent		**Passé**	
être	aidé, ée, és, ées	avoir	été aidé, ée, és, ées

Participe

Présent		**Passé**	
étant	aidé, ée, és, ées	aidé, ée, és, ées	
		ayant	été aidé, ée, és, ées

6 verbe actif avec *être*

arriver ÊTRE

Certains verbes actifs forment leurs temps composés avec l'auxiliaire de conjugaison *être*.

Voir **L'accord du participe passé avec l'auxiliaire *être*** à la page 161.

Indicatif

Présent		Passé composé		
j'	arrive	je	suis	arrivé, ée
tu	arrives	tu	es	arrivé, ée
il, elle	arrive	il, elle	est	arrivé, ée
nous	arrivons	nous	sommes	arrivés, ées
vous	arrivez	vous	êtes	arrivés, ées
ils, elles	arrivent	ils, elles	sont	arrivés, ées

Imparfait		Plus-que-parfait		
j'	arrivais	j'	étais	arrivé, ée
tu	arrivais	tu	étais	arrivé, ée
il, elle	arrivait	il, elle	était	arrivé, ée
nous	arrivions	nous	étions	arrivés, ées
vous	arriviez	vous	étiez	arrivés, ées
ils, elles	arrivaient	ils, elles	étaient	arrivés, ées

Passé simple		Passé antérieur		
j'	arrivai	je	fus	arrivé, ée
tu	arrivas	tu	fus	arrivé, ée
il, elle	arriva	il, elle	fut	arrivé, ée
nous	arrivâmes	nous	fûmes	arrivés, ées
vous	arrivâtes	vous	fûtes	arrivés, ées
ils, elles	arrivèrent	ils, elles	furent	arrivés, ées

Futur simple		Futur antérieur		
j'	arriverai	je	serai	arrivé, ée
tu	arriveras	tu	seras	arrivé, ée
il, elle	arrivera	il, elle	sera	arrivé, ée
nous	arriverons	nous	serons	arrivés, ées
vous	arriverez	vous	serez	arrivés, ées
ils, elles	arriveront	ils, elles	seront	arrivés, ées

Conditionnel présent		Conditionnel passé		
j'	arriverais	je	serais	arrivé, ée
tu	arriverais	tu	serais	arrivé, ée
il, elle	arriverait	il, elle	serait	arrivé, ée
nous	arriverions	nous	serions	arrivés, ées
vous	arriveriez	vous	seriez	arrivés, ées
ils, elles	arriveraient	ils, elles	seraient	arrivés, ées

Subjonctif

Présent *il faut...*		Passé *il faut...*		
que j'	arrive	que je	sois	arrivé, ée
que tu	arrives	que tu	sois	arrivé, ée
qu' il, elle	arrive	qu' il, elle	soit	arrivé, ée
que nous	arrivions	que nous	soyons	arrivés, ées
que vous	arriviez	que vous	soyez	arrivés, ées
qu' ils, elles	arrivent	qu' ils, elles	soient	arrivés, ées

Imparfait *il fallait...*		Plus-que-parfait *il fallait...*		
que j'	arrivasse	que je	fusse	arrivé, ée
que tu	arrivasses	que tu	fusses	arrivé, ée
qu' il, elle	arrivât	qu' il, elle	fût	arrivé, ée
que nous	arrivassions	que nous	fussions	arrivés, ées
que vous	arrivassiez	que vous	fussiez	arrivés, ées
qu' ils, elles	arrivassent	qu' ils, elles	fussent	arrivés, ées

Impératif

Présent	Passé	
arrive	sois	arrivé, ée
arrivons	soyons	arrivés, ées
arrivez	soyez	arrivés, ées

Infinitif

Présent	Passé	
arriver	être	arrivé, ée, és, ées

Participe

Présent	Passé	
arrivant	arrivé, ée, és, ées	
	étant	arrivé, ée, és, ées

verbe pronominal

se cacher

7

Les verbes pronominaux forment leurs temps composés avec l'auxiliaire de conjugaison *être*.

Voir **Le verbe pronominal** à la page 133.

Voir **L'accord du participe passé du verbe pronominal** à la page 162.

Indicatif

Présent			Passé composé			
je	me	cache	je	me	suis	caché, ée
tu	te	caches	tu	t'	es	caché, ée
il, elle	se	cache	il, elle	s'	est	caché, ée
nous	nous	cachons	nous	nous	sommes	cachés, ées
vous	vous	cachez	vous	vous	êtes	cachés, ées
ils, elles	se	cachent	ils, elles	se	sont	cachés, ées

Imparfait			Plus-que-parfait			
je	me	cachais	je	m'	étais	caché, ée
tu	te	cachais	tu	t'	étais	caché, ée
il, elle	se	cachait	il, elle	s'	était	caché, ée
nous	nous	cachions	nous	nous	étions	cachés, ées
vous	vous	cachiez	vous	vous	étiez	cachés, ées
ils, elles	se	cachaient	ils, elles	s'	étaient	cachés, ées

Passé simple			Passé antérieur			
je	me	cachai	je	me	fus	caché, ée
tu	te	cachas	tu	te	fus	caché, ée
il, elle	se	cacha	il, elle	se	fut	caché, ée
nous	nous	cachâmes	nous	nous	fûmes	cachés, ées
vous	vous	cachâtes	vous	vous	fûtes	cachés, ées
ils, elles	se	cachèrent	ils, elles	se	furent	cachés, ées

Futur simple			Futur antérieur			
je	me	cacherai	je	me	serai	caché, ée
tu	te	cacheras	tu	te	seras	caché, ée
il, elle	se	cachera	il, elle	se	sera	caché, ée
nous	nous	cacherons	nous	nous	serons	cachés, ées
vous	vous	cacherez	vous	vous	serez	cachés, ées
ils, elles	se	cacheront	ils, elles	se	seront	cachés, ées

Conditionnel présent			Conditionnel passé			
je	me	cacherais	je	me	serais	caché, ée
tu	te	cacherais	tu	te	serais	caché, ée
il, elle	se	cacherait	il, elle	se	serait	caché, ée
nous	nous	cacherions	nous	nous	serions	cachés, ées
vous	vous	cacheriez	vous	vous	seriez	cachés, ées
ils, elles	se	cacheraient	ils, elles	se	seraient	cachés, ées

Subjonctif

Présent *il faut...*			Passé *il faut...*			
que je	me	cache	que je	me	sois	caché, ée
que tu	te	caches	que tu	te	sois	caché, ée
qu' il, elle	se	cache	qu' il, elle	se	soit	caché, ée
que nous	nous	cachions	que nous	nous	soyons	cachés, ées
que vous	vous	cachiez	que vous	vous	soyez	cachés, ées
qu' ils, elles	se	cachent	qu' ils, elles	se	soient	cachés, ées

Imparfait *il fallait...*			Plus-que-parfait *il fallait...*			
que je	me	cachasse	que je	me	fusse	caché, ée
que tu	te	cachasses	que tu	te	fusses	caché, ée
qu' il, elle	se	cachât	qu' il, elle	se	fût	caché, ée
que nous	nous	cachassions	que nous	nous	fussions	cachés, ées
que vous	vous	cachassiez	que vous	vous	fussiez	cachés, ées
qu' ils, elles	se	cachassent	qu' ils, elles	se	fussent	cachés, ées

Impératif

Présent	Passé
cache-toi	–
cachons-nous	–
cachez-vous	–

Infinitif

Présent	Passé
se cacher	s'être caché, ée, és, ées

Participe

Présent	Passé
se cachant	–
	s'étant caché, ée, és, ées

8 verbe impersonnel

venter

Les verbes impersonnels se conjuguent uniquement avec le pronom ***il.***
Le participe passé de ces verbes est toujours invariable.

Voir **Le verbe impersonnel** à la page 138.

Indicatif

Présent	Passé composé
–	–
–	–
il vente	il a venté
–	–
–	–
–	–

Imparfait	Plus-que-parfait
–	–
–	–
il ventait	il avait venté
–	–
–	–
–	–

Passé simple	Passé antérieur
–	–
–	–
il venta	il eut venté
–	–
–	–
–	–

Futur simple	Futur antérieur
–	–
–	–
il ventera	il aura venté
–	–
–	–
–	–

Conditionnel présent	Conditionnel passé
–	–
–	–
il venterait	il aurait venté
–	–
–	–
–	–

Subjonctif

Présent	Passé
il faut...	*il faut...*
–	–
–	–
qu' il vente	qu' il ait venté
–	–
–	–
–	–

Imparfait	Plus-que-parfait
il fallait...	*il fallait...*
–	–
–	–
qu' il ventât	qu' il eût venté
–	–
–	–
–	–

Impératif

Présent	Passé
–	–
–	–
–	–

Infinitif

Présent	Passé
venter	**avoir** venté

Participe

Présent	Passé
ventant	venté (*invariable*)
	ayant venté

Tableau des particularités des verbes en *-er*

VERBE MODÈLE	CARACTÉRISTIQUE	PARTICULARITÉ ORTHOGRAPHIQUE OU DIFFICULTÉ	AUTRES VERBES
12 aimer	Verbe modèle de base	–	**1365 occurrences** Verbes en *-er* sans particularité orthographique
13 placer	Verbes en *-cer*	▷ alternance **c, ç**	**105 occurrences** *annoncer, avancer, commencer, déplacer, effacer,* etc.
14 manger	Verbes en *-ger*	▷ alternance **g, ge**	**171 occurrences** *bouger, changer, corriger, échanger, mélanger,* etc.
15 gagner	Verbes en *-gner*	▷ **gn** suivi de **i**	**59 occurrences** *accompagner, baigner, cogner, peigner, renseigner,* etc.
16 céder	Verbes en *-éder*	▷ alternance **é, è**	**11 occurrences** *abcéder, accéder, céder, décéder, excéder, intercéder, précéder, procéder, recéder, rétrocéder* et *succéder*
17 posséder	Verbes en *-écer, -éder, -éler, -émer, -éner, -éper, -éser*	▷ alternance **é, è**	**37 occurrences** *asséner, concéder, léser, oxygéner, révéler,* etc.
18 sécher	Verbes en *-écher*	▷ alternance **é, è**	**12 occurrences** *allécher, assécher, crécher, dessécher, ébrécher, émécher, flécher, lécher, mécher, pécher* et *pourlécher*
19 célébrer	Verbes en *-ébrer, -égrer, -étrer, -évrer*	▷ alternance **é, è**	**19 occurrences** *désintégrer, intégrer, pénétrer, zébrer,* etc.
20 régner	Verbes en *-égner, -égler*	▷ alternance **é, è** ▷ **gn** suivi de **i**	**5 occurrences** *dérégler, imprégner, prérégler* et *régner*
21 léguer	Verbes en *-éguer, -équer*	▷ alternance **é, è** permanence du **gu** et du **qu**	**11 occurrences** *alléguer, déféquer, déléguer, déshypothéquer, disséquer, hypothéquer, reléguer, réséquer, ségréguer* et *subdéléguer*
22 espérer	Verbes en *-érer*	▷ alternance **é, è**	**92 occurrences** *aérer, considérer, coopérer, délibérer, digérer,* etc.
23 compléter	Verbes en *-éter*	▷ alternance **é, è**	**22 occurrences** *budgéter, empiéter, interpréter, répéter, rouspéter,* etc.

VERBE MODÈLE	CARACTÉRISTIQUE	PARTICULARITÉ ORTHOGRAPHIQUE OU DIFFICULTÉ	AUTRES VERBES
24 protéger	Verbes en *-éger*	▷ alternance **é, è** ▷ alternance **g, ge**	**11 occurrences** *abréger, agréger, alléger, arpéger, assiéger, déprotéger, désagréger, piéger, siéger* et *surprotéger*
25 acheter	Verbes en *-ecer, -emer, -eser, -eter*	▷ alternance **e, è**	**20 occurrences** *aiguilleter, bêcheveter, bégueter, clamecer, corseter, crocheter, dépecer, fileter, fureter, haleter, racheter,* etc.
26 emmener	Verbes en *-ener*	▷ alternance **e, è**	**15 occurrences** *amener, malmener, mener, promener, ramener,* etc.
27 enlever	Verbes en *-ever*	▷ alternance **e, è**	**13 occurrences** *achever, élever, prélever, relever, soulever,* etc.
28 geler	Verbes en *-eler*	▷ alternance **e, è**	**17 occurrences** *celer, ciseler, congeler, déceler, décongeler, dégeler, démanteler, harceler,* etc.
29 appeler	Verbes en *-eler*	▷ alternance **l, ll**	**55 occurrences** *bosseler, ensorceler, épeler, étinceler, ficeler, jumeler, rappeler,* etc.
30 jeter	Verbes en *-eter*	▷ alternance **t, tt**	**54 occurrences** *cacheter, déchiqueter, épousseter, étiqueter, pelleter, projeter, rejeter,* etc.
31 créer	Verbes en *-éer*	▷ permanence du **é**	**19 occurrences** *agréer, maugréer, procréer, recréer, suppléer,* etc.
32 étudier	Verbes en *-ier*	▷ doublement du **i** ▷ **i** suivi du **e** muet	**281 occurrences** *apprécier, calligraphier, colorier, copier, crier, dévier, identifier, justifier, multiplier, nier, plier, remercier,* etc.
33 jouer	Verbes en *-uer, -ouer*	▷ **u** suivi du **e** muet	**209 occurrences** *avouer, continuer, diminuer, distribuer, échouer, évaluer, polluer, remuer, secouer,* etc.
34 mesurer	Verbes en *-rer*	▷ **r** suivi de ***-erai, -eras, -era***, etc.	**208 occurrences** *adorer, attirer, capturer, chavirer, collaborer, déchirer, déclarer, décorer, dévorer,* etc.
35 serrer	Verbes en *-rrer*	▷ **rr** suivi de ***-erai, -eras, -era***, etc.	**39 occurrences** *amarrer, contrecarrer, démarrer, errer, narrer, resserrer, susurrer,* etc.

VERBE MODÈLE	CARACTÉRISTIQUE	PARTICULARITÉ ORTHOGRAPHIQUE OU DIFFICULTÉ	AUTRES VERBES
36 payer	Verbes en *-ayer*	▷ alternance **y, i** (double forme ***paye*** et ***paie***) ▷ **y** suivi de **i**	**31 occurrences** *balayer, bégayer, effrayer, essayer, zézayer,* etc.
37 nettoyer	Verbes en *-oyer,* sauf *envoyer* et *renvoyer*	▷ alternance **y, i** ▷ **y** suivi de **i**	**53 occurrences** *aboyer, employer, noyer,* etc.
38 envoyer	Verbes en *-envoyer*	▷ alternance **y, i** ▷ **y** suivi de **i** ▷ radical *enver-*	**2 occurrences** *renvoyer*
39 appuyer	Verbes en *-uyer*	▷ alternance **y, i** ▷ **y** suivi de **i**	**5 occurrences** *désennuyer, ennuyer, essuyer* et *ressuyer*

VERBE MODÈLE	CARACTÉRISTIQUE	PARTICULARITÉ ORTHOGRAPHIQUE OU DIFFICULTÉ	AUTRES VERBES
40 aller	Seul verbe irrégulier en ***-er*** **6 radicaux:** *all-, aill-, i-, vai-, va-, v-* *nous **allons**, que j'**aille**, tu **iras**, je **vais**, tu **vas**, ils, elles **vont***	–	**1 occurrence**
41 s'en aller PR	–	–	**1 occurrence**

12 aimer

Les verbes se terminant par *-er* possèdent les mêmes terminaisons que le verbe modèle *aimer*, à l'exception du verbe *aller* (voir le tableau **40**).

Indicatif

Présent

j'	aime
tu	aimes
il	aime
nous	aimons
vous	aimez
ils	aiment

Passé composé

j'	ai	aimé
tu	as	aimé
il	a	aimé
nous	avons	aimé
vous	avez	aimé
ils	ont	aimé

Imparfait

j'	aimais
tu	aimais
il	aimait
nous	aimions
vous	aimiez
ils	aimaient

Plus-que-parfait

j'	avais	aimé
tu	avais	aimé
il	avait	aimé
nous	avions	aimé
vous	aviez	aimé
ils	avaient	aimé

Passé simple

j'	aimai
tu	aimas
il	aima
nous	aimâmes
vous	aimâtes
ils	aimèrent

Passé antérieur

j'	eus	aimé
tu	eus	aimé
il	eut	aimé
nous	eûmes	aimé
vous	eûtes	aimé
ils	eurent	aimé

Futur simple

j'	aimerai
tu	aimeras
il	aimera
nous	aimerons
vous	aimerez
ils	aimeront

Futur antérieur

j'	aurai	aimé
tu	auras	aimé
il	aura	aimé
nous	aurons	aimé
vous	aurez	aimé
ils	auront	aimé

Conditionnel présent

j'	aimerais
tu	aimerais
il	aimerait
nous	aimerions
vous	aimeriez
ils	aimeraient

Conditionnel passé

j'	aurais	aimé
tu	aurais	aimé
il	aurait	aimé
nous	aurions	aimé
vous	auriez	aimé
ils	auraient	aimé

Subjonctif

Présent
il faut...

que	j'	aime
que	tu	aimes
qu'	il	aime
que	nous	aimions
que	vous	aimiez
qu'	ils	aiment

Passé
il faut...

que	j'	aie	aimé
que	tu	aies	aimé
qu'	il	ait	aimé
que	nous	ayons	aimé
que	vous	ayez	aimé
qu'	ils	aient	aimé

Imparfait
il fallait...

que	j'	aimasse
que	tu	aimasses
qu'	il	aimât
que	nous	aimassions
que	vous	aimassiez
qu'	ils	aimassent

Plus-que-parfait
il fallait...

que	j'	eusse	aimé
que	tu	eusses	aimé
qu'	il	eût	aimé
que	nous	eussions	aimé
que	vous	eussiez	aimé
qu'	ils	eussent	aimé

Impératif

Présent

aime
aimons
aimez

Passé

aie	aimé
ayons	aimé
ayez	aimé

Infinitif

Présent

aimer

Passé

avoir aimé

Participe

Présent

aimant

Passé

aimé, ée, és, ées
ayant aimé

placer 13

▷ Le « c » du radical devient « ç » devant les voyelles *a* et *o* pour conserver la prononciation [s].

Indicatif

Présent

je	place
tu	places
elle	place
nous	plaçons
vous	placez
elles	placent

Passé composé

j'	ai	placé
tu	as	placé
elle	a	placé
nous	avons	placé
vous	avez	placé
elles	ont	placé

Imparfait

je	plaçais
tu	plaçais
elle	plaçait
nous	placions
vous	placiez
elles	plaçaient

Plus-que-parfait

j'	avais	placé
tu	avais	placé
elle	avait	placé
nous	avions	placé
vous	aviez	placé
elles	avaient	placé

Passé simple

je	plaçai
tu	plaças
elle	plaça
nous	plaçâmes
vous	plaçâtes
elles	placèrent

Passé antérieur

j'	eus	placé
tu	eus	placé
elle	eut	placé
nous	eûmes	placé
vous	eûtes	placé
elles	eurent	placé

Futur simple

je	placerai
tu	placeras
elle	placera
nous	placerons
vous	placerez
elles	placeront

Futur antérieur

j'	aurai	placé
tu	auras	placé
elle	aura	placé
nous	aurons	placé
vous	aurez	placé
elles	auront	placé

Conditionnel présent

je	placerais
tu	placerais
elle	placerait
nous	placerions
vous	placeriez
elles	placeraient

Conditionnel passé

j'	aurais	placé
tu	aurais	placé
elle	aurait	placé
nous	aurions	placé
vous	auriez	placé
elles	auraient	placé

Subjonctif

Présent

il faut...

que	je	place
que	tu	places
qu'	elle	place
que	nous	placions
que	vous	placiez
qu'	elles	placent

Passé

il faut...

que	j'	aie	placé
que	tu	aies	placé
qu'	elle	ait	placé
que	nous	ayons	placé
que	vous	ayez	placé
qu'	elles	aient	placé

Imparfait

il fallait...

que	je	plaçasse
que	tu	plaçasses
qu'	elle	plaçât
que	nous	plaçassions
que	vous	plaçassiez
qu'	elles	plaçassent

Plus-que-parfait

il fallait...

que	j'	eusse	placé
que	tu	eusses	placé
qu'	elle	eût	placé
que	nous	eussions	placé
que	vous	eussiez	placé
qu'	elles	eussent	placé

Impératif

Présent

place
plaçons
placez

Passé

aie placé
ayons placé
ayez placé

Infinitif

Présent

placer

Passé

avoir placé

Participe

Présent

plaçant

Passé

placé, ée, és, ées
ayant placé

14 manger

▷ Le « g » du radical devient « ge » devant les voyelles ***a*** et ***o*** pour conserver la prononciation [j].

Indicatif

Présent		**Passé composé**		
je	mange	j'	ai	mangé
tu	manges	tu	as	mangé
il	mange	il	a	mangé
nous	mangeons	nous	avons	mangé
vous	mangez	vous	avez	mangé
ils	mangent	ils	ont	mangé

Imparfait		**Plus-que-parfait**		
je	mangeais	j'	avais	mangé
tu	mangeais	tu	avais	mangé
il	mangeait	il	avait	mangé
nous	mangions	nous	avions	mangé
vous	mangiez	vous	aviez	mangé
ils	mangeaient	ils	avaient	mangé

Passé simple		**Passé antérieur**		
je	mangeai	j'	eus	mangé
tu	mangeas	tu	eus	mangé
il	mangea	il	eut	mangé
nous	mangeâmes	nous	eûmes	mangé
vous	mangeâtes	vous	eûtes	mangé
ils	mangèrent	ils	eurent	mangé

Futur simple		**Futur antérieur**		
je	mangerai	j'	aurai	mangé
tu	mangeras	tu	auras	mangé
il	mangera	il	aura	mangé
nous	mangerons	nous	aurons	mangé
vous	mangerez	vous	aurez	mangé
ils	mangeront	ils	auront	mangé

Conditionnel présent		**Conditionnel passé**		
je	mangerais	j'	aurais	mangé
tu	mangerais	tu	aurais	mangé
il	mangerait	il	aurait	mangé
nous	mangerions	nous	aurions	mangé
vous	mangeriez	vous	auriez	mangé
ils	mangeraient	ils	auraient	mangé

Subjonctif

Présent *il faut…*		**Passé** *il faut…*		
que je	mange	que j'	aie	mangé
que tu	manges	que tu	aies	mangé
qu' il	mange	qu' il	ait	mangé
que nous	mangions	que nous	ayons	mangé
que vous	mangiez	que vous	ayez	mangé
qu' ils	mangent	qu' ils	aient	mangé

Imparfait *il fallait…*		**Plus-que-parfait** *il fallait…*		
que je	mangeasse	que j'	eusse	mangé
que tu	mangeasses	que tu	eusses	mangé
qu' il	mangeât	qu' il	eût	mangé
que nous	mangeassions	que nous	eussions	mangé
que vous	mangeassiez	que vous	eussiez	mangé
qu' ils	mangeassent	qu' ils	eussent	mangé

Impératif

Présent	**Passé**	
mange	aie	mangé
mangeons	ayons	mangé
mangez	ayez	mangé

Infinitif

Présent	**Passé**	
manger	avoir	mangé

Participe

Présent	**Passé**	
mangeant	mangé, ée, és, ées	
	ayant	mangé

gagner 15

▷ On conserve les terminaisons *-ions* et *-iez* malgré la prononciation du « gn ».

Indicatif

Présent

je	gagne
tu	gagnes
elle	gagne
nous	gagnons
vous	gagnez
elles	gagnent

Passé composé

j'	ai	gagné
tu	as	gagné
elle	a	gagné
nous	avons	gagné
vous	avez	gagné
elles	ont	gagné

Imparfait

je	gagnais
tu	gagnais
elle	gagnait
nous	gagnions
vous	gagniez
elles	gagnaient

Plus-que-parfait

j'	avais	gagné
tu	avais	gagné
elle	avait	gagné
nous	avions	gagné
vous	aviez	gagné
elles	avaient	gagné

Passé simple

je	gagnai
tu	gagnas
elle	gagna
nous	gagnâmes
vous	gagnâtes
elles	gagnèrent

Passé antérieur

j'	eus	gagné
tu	eus	gagné
elle	eut	gagné
nous	eûmes	gagné
vous	eûtes	gagné
elles	eurent	gagné

Futur simple

je	gagnerai
tu	gagneras
elle	gagnera
nous	gagnerons
vous	gagnerez
elles	gagneront

Futur antérieur

j'	aurai	gagné
tu	auras	gagné
elle	aura	gagné
nous	aurons	gagné
vous	aurez	gagné
elles	auront	gagné

Conditionnel présent

je	gagnerais
tu	gagnerais
elle	gagnerait
nous	gagnerions
vous	gagneriez
elles	gagneraient

Conditionnel passé

j'	aurais	gagné
tu	aurais	gagné
elle	aurait	gagné
nous	aurions	gagné
vous	auriez	gagné
elles	auraient	gagné

Subjonctif

Présent

il faut...

que	je	gagne
que	tu	gagnes
qu'	elle	gagne
que	nous	gagnions
que	vous	gagniez
qu'	elles	gagnent

Passé

il faut...

que	j'	aie	gagné
que	tu	aies	gagné
qu'	elle	ait	gagné
que	nous	ayons	gagné
que	vous	ayez	gagné
qu'	elles	aient	gagné

Imparfait

il fallait...

que	je	gagnasse
que	tu	gagnasses
qu'	elle	gagnât
que	nous	gagnassions
que	vous	gagnassiez
qu'	elles	gagnassent

Plus-que-parfait

il fallait...

que	j'	eusse	gagné
que	tu	eusses	gagné
qu'	elle	eût	gagné
que	nous	eussions	gagné
que	vous	eussiez	gagné
qu'	elles	eussent	gagné

Impératif

Présent

gagne
gagnons
gagnez

Passé

aie	gagné
ayons	gagné
ayez	gagné

Infinitif

Présent

gagner

Passé

avoir gagné

Participe

Présent

gagnant

Passé

gagné, ée, és, ées
ayant gagné

16 céder

▷ Le « é » du radical devient « è » lorsque la terminaison contient un *e* muet.
Au futur simple et au conditionnel présent, le « é » peut se prononcer [è].

Indicatif

Présent

je	cède
tu	cèdes
il	cède
nous	cédons
vous	cédez
ils	cèdent

Passé composé

j'	ai	cédé
tu	as	cédé
il	a	cédé
nous	avons	cédé
vous	avez	cédé
ils	ont	cédé

Imparfait

je	cédais
tu	cédais
il	cédait
nous	cédions
vous	cédiez
ils	cédaient

Plus-que-parfait

j'	avais	cédé
tu	avais	cédé
il	avait	cédé
nous	avions	cédé
vous	aviez	cédé
ils	avaient	cédé

Passé simple

je	cédai
tu	cédas
il	céda
nous	cédâmes
vous	cédâtes
ils	cédèrent

Passé antérieur

j'	eus	cédé
tu	eus	cédé
il	eut	cédé
nous	eûmes	cédé
vous	eûtes	cédé
ils	eurent	cédé

Futur simple

je	céderai
tu	céderas
il	cédera
nous	céderons
vous	céderez
ils	céderont

Futur antérieur

j'	aurai	cédé
tu	auras	cédé
il	aura	cédé
nous	aurons	cédé
vous	aurez	cédé
ils	auront	cédé

Conditionnel présent

je	céderais
tu	céderais
il	céderait
nous	céderions
vous	céderiez
ils	céderaient

Conditionnel passé

j'	aurais	cédé
tu	aurais	cédé
il	aurait	cédé
nous	aurions	cédé
vous	auriez	cédé
ils	auraient	cédé

Subjonctif

Présent
il faut...

que	je	cède
que	tu	cèdes
qu'	il	cède
que	nous	cédions
que	vous	cédiez
qu'	ils	cèdent

Passé
il faut...

que	j'	aie	cédé
que	tu	aies	cédé
qu'	il	ait	cédé
que	nous	ayons	cédé
que	vous	ayez	cédé
qu'	ils	aient	cédé

Imparfait
il fallait...

que	je	cédasse
que	tu	cédasses
qu'	il	cédât
que	nous	cédassions
que	vous	cédassiez
qu'	ils	cédassent

Plus-que-parfait
il fallait...

que	j'	eusse	cédé
que	tu	eusses	cédé
qu'	il	eût	cédé
que	nous	eussions	cédé
que	vous	eussiez	cédé
qu'	ils	eussent	cédé

Impératif

Présent

cède
cédons
cédez

Passé

aie cédé
ayons cédé
ayez cédé

Infinitif

Présent

céder

Passé

avoir cédé

Participe

Présent

cédant

Passé

cédé, ée, és, ées
ayant cédé

possédER 17

▷ Le « é » du radical devient « è » lorsque la terminaison contient un *e* muet.
Au futur simple et au conditionnel présent, le « é » peut se prononcer [è].

Indicatif

Présent		Passé composé		
je	possède	j'	ai	possédé
tu	possèdes	tu	as	possédé
elle	possède	elle	a	possédé
nous	possédons	nous	avons	possédé
vous	possédez	vous	avez	possédé
elles	possèdent	elles	ont	possédé

Imparfait		Plus-que-parfait		
je	possédais	j'	avais	possédé
tu	possédais	tu	avais	possédé
elle	possédait	elle	avait	possédé
nous	possédions	nous	avions	possédé
vous	possédiez	vous	aviez	possédé
elles	possédaient	elles	avaient	possédé

Passé simple		Passé antérieur		
je	possédai	j'	eus	possédé
tu	possédas	tu	eus	possédé
elle	posséda	elle	eut	possédé
nous	possédâmes	nous	eûmes	possédé
vous	possédâtes	vous	eûtes	possédé
elles	possédèrent	elles	eurent	possédé

Futur simple		Futur antérieur		
je	posséderai	j'	aurai	possédé
tu	posséderas	tu	auras	possédé
elle	possédera	elle	aura	possédé
nous	posséderons	nous	aurons	possédé
vous	posséderez	vous	aurez	possédé
elles	posséderont	elles	auront	possédé

Conditionnel présent		Conditionnel passé		
je	posséderais	j'	aurais	possédé
tu	posséderais	tu	aurais	possédé
elle	posséderait	elle	aurait	possédé
nous	posséderions	nous	aurions	possédé
vous	posséderiez	vous	auriez	possédé
elles	posséderaient	elles	auraient	possédé

Subjonctif

Présent *il faut...*		Passé *il faut...*		
que je	possède	que j'	aie	possédé
que tu	possèdes	que tu	aies	possédé
qu' elle	possède	qu' elle	ait	possédé
que nous	possédions	que nous	ayons	possédé
que vous	possédiez	que vous	ayez	possédé
qu' elles	possèdent	qu' elles	aient	possédé

Imparfait *il fallait...*		Plus-que-parfait *il fallait...*		
que je	possédasse	que j'	eusse	possédé
que tu	possédasses	que tu	eusses	possédé
qu' elle	possédât	qu' elle	eût	possédé
que nous	possédassions	que nous	eussions	possédé
que vous	possédassiez	que vous	eussiez	possédé
qu' elles	possédassent	qu' elles	eussent	possédé

Impératif

Présent	Passé	
possède	aie	possédé
possédons	ayons	possédé
possédez	ayez	possédé

Infinitif

Présent	Passé	
posséder	avoir	possédé

Participe

Présent	Passé	
possédant	possédé, ée, és, ées	
	ayant	possédé

18 sécher

▷ Le « é » du radical devient « è » lorsque la terminaison contient un *e* muet.
Au futur simple et au conditionnel présent, le « é » peut se prononcer [è].

Indicatif

Présent		**Passé composé**		
je	sèche	j'	ai	séché
tu	sèches	tu	as	séché
il	sèche	il	a	séché
nous	séchons	nous	avons	séché
vous	séchez	vous	avez	séché
ils	sèchent	ils	ont	séché

Imparfait		**Plus-que-parfait**		
je	séchais	j'	avais	séché
tu	séchais	tu	avais	séché
il	séchait	il	avait	séché
nous	séchions	nous	avions	séché
vous	séchiez	vous	aviez	séché
ils	séchaient	ils	avaient	séché

Passé simple		**Passé antérieur**		
je	séchai	j'	eus	séché
tu	séchas	tu	eus	séché
il	sécha	il	eut	séché
nous	séchâmes	nous	eûmes	séché
vous	séchâtes	vous	eûtes	séché
ils	séchèrent	ils	eurent	séché

Futur simple		**Futur antérieur**		
je	sécherai	j'	aurai	séché
tu	sécheras	tu	auras	séché
il	séchera	il	aura	séché
nous	sécherons	nous	aurons	séché
vous	sécherez	vous	aurez	séché
ils	sécheront	ils	auront	séché

Conditionnel présent		**Conditionnel passé**		
je	sécherais	j'	aurais	séché
tu	sécherais	tu	aurais	séché
il	sécherait	il	aurait	séché
nous	sécherions	nous	aurions	séché
vous	sécheriez	vous	auriez	séché
ils	sécheraient	ils	auraient	séché

Subjonctif

Présent *il faut...*			**Passé** *il faut...*			
que	je	sèche	que	j'	aie	séché
que	tu	sèches	que	tu	aies	séché
qu'	il	sèche	qu'	il	ait	séché
que	nous	séchions	que	nous	ayons	séché
que	vous	séchiez	que	vous	ayez	séché
qu'	ils	sèchent	qu'	ils	aient	séché

Imparfait *il fallait...*			**Plus-que-parfait** *il fallait...*			
que	je	séchasse	que	j'	eusse	séché
que	tu	séchasses	que	tu	eusses	séché
qu'	il	séchât	qu'	il	eût	séché
que	nous	séchassions	que	nous	eussions	séché
que	vous	séchassiez	que	vous	eussiez	séché
qu'	ils	séchassent	qu'	ils	eussent	séché

Impératif

Présent	**Passé**	
sèche	aie	séché
séchons	ayons	séché
séchez	ayez	séché

Infinitif

Présent	**Passé**	
sécher	avoir	séché

Participe

Présent	**Passé**	
séchant	séché, ée, és, ées	
	ayant	séché

célébrer 19

▷ Le « é » du radical devient « è » lorsque la terminaison contient un *e* muet.

▷ Ne pas confondre le « r » du radical et celui de la terminaison.
Au futur simple et au conditionnel présent, le « é » peut se prononcer [è].

Indicatif

Présent		**Passé composé**		
je	célèbre	j'	ai	célébré
tu	célèbres	tu	as	célébré
elle	célèbre	elle	a	célébré
nous	célébrons	nous	avons	célébré
vous	célébrez	vous	avez	célébré
elles	célèbrent	elles	ont	célébré

Imparfait		**Plus-que-parfait**		
je	célébrais	j'	avais	célébré
tu	célébrais	tu	avais	célébré
elle	célébrait	elle	avait	célébré
nous	célébrions	nous	avions	célébré
vous	célébriez	vous	aviez	célébré
elles	célébraient	elles	avaient	célébré

Passé simple		**Passé antérieur**		
je	célébrai	j'	eus	célébré
tu	célébras	tu	eus	célébré
elle	célébra	elle	eut	célébré
nous	célébrâmes	nous	eûmes	célébré
vous	célébrâtes	vous	eûtes	célébré
elles	célébrèrent	elles	eurent	célébré

Futur simple		**Futur antérieur**		
je	célébrerai	j'	aurai	célébré
tu	célébreras	tu	auras	célébré
elle	célébrera	elle	aura	célébré
nous	célébrerons	nous	aurons	célébré
vous	célébrerez	vous	aurez	célébré
elles	célébreront	elles	auront	célébré

Conditionnel présent		**Conditionnel passé**		
je	célébrerais	j'	aurais	célébré
tu	célébrerais	tu	aurais	célébré
elle	célébrerait	elle	aurait	célébré
nous	célébrerions	nous	aurions	célébré
vous	célébreriez	vous	auriez	célébré
elles	célébreraient	elles	auraient	célébré

Subjonctif

Présent *il faut...*			**Passé** *il faut...*			
que	je	célèbre	que	j'	aie	célébré
que	tu	célèbres	que	tu	aies	célébré
qu'	elle	célèbre	qu'	elle	ait	célébré
que	nous	célébrions	que	nous	ayons	célébré
que	vous	célébriez	que	vous	ayez	célébré
qu'	elles	célèbrent	qu'	elles	aient	célébré

Imparfait *il fallait...*			**Plus-que-parfait** *il fallait...*			
que	je	célébrasse	que	j'	eusse	célébré
que	tu	célébrasses	que	tu	eusses	célébré
qu'	elle	célébrât	qu'	elle	eût	célébré
que	nous	célébrassions	que	nous	eussions	célébré
que	vous	célébrassiez	que	vous	eussiez	célébré
qu'	elles	célébrassent	qu'	elles	eussent	célébré

Impératif

Présent	**Passé**	
célèbre	aie	célébré
célébrons	ayons	célébré
célébrez	ayez	célébré

Infinitif

Présent	**Passé**	
célébrer	avoir	célébré

Participe

Présent	**Passé**	
célébrant	célébré, ée, és, ées	
	ayant	célébré

20 régner

▷ Le « é » du radical devient « è » lorsque la terminaison contient un *e* muet.
▷ On conserve les terminaisons *-ions* et *-iez* malgré la prononciation du « gn ». Au futur simple et au conditionnel présent, le « é » peut se prononcer [è].

Indicatif

Présent
je règne
tu règnes
il règne
nous régnons
vous régnez
ils règnent

Passé composé
j' ai régné
tu as régné
il a régné
nous avons régné
vous avez régné
ils ont régné

Imparfait
je régnais
tu régnais
il régnait
nous régnions
vous régniez
ils régnaient

Plus-que-parfait
j' avais régné
tu avais régné
il avait régné
nous avions régné
vous aviez régné
ils avaient régné

Passé simple
je régnai
tu régnas
il régna
nous régnâmes
vous régnâtes
ils régnèrent

Passé antérieur
j' eus régné
tu eus régné
il eut régné
nous eûmes régné
vous eûtes régné
ils eurent régné

Futur simple
je régnerai
tu régneras
il régnera
nous régnerons
vous régnerez
ils régneront

Futur antérieur
j' aurai régné
tu auras régné
il aura régné
nous aurons régné
vous aurez régné
ils auront régné

Conditionnel présent
je régnerais
tu régnerais
il régnerait
nous régnerions
vous régneriez
ils régneraient

Conditionnel passé
j' aurais régné
tu aurais régné
il aurait régné
nous aurions régné
vous auriez régné
ils auraient régné

Subjonctif

Présent
il faut…
que je règne
que tu règnes
qu' il règne
que nous régnions
que vous régniez
qu' ils règnent

Passé
il faut…
que j' aie régné
que tu aies régné
qu' il ait régné
que nous ayons régné
que vous ayez régné
qu' ils aient régné

Imparfait
il fallait…
que je régnasse
que tu régnasses
qu' il régnât
que nous régnassions
que vous régnassiez
qu' ils régnassent

Plus-que-parfait
il fallait…
que j' eusse régné
que tu eusses régné
qu' il eût régné
que nous eussions régné
que vous eussiez régné
qu' ils eussent régné

Impératif

Présent
règne
régnons
régnez

Passé
aie régné
ayons régné
ayez régné

Infinitif

Présent
régner

Passé
avoir régné

Participe

Présent
régnant

Passé
régné (*invariable*)
ayant régné

léguer 21

▷ Le « é » du radical devient « è » lorsque la terminaison contient un *e* muet.
On conserve le « gu » du radical à tous les temps.
Au futur simple et au conditionnel présent, le « é » peut se prononcer [è].

Indicatif

Présent

je	lègue
tu	lègues
elle	lègue
nous	léguons
vous	léguez
elles	lèguent

Passé composé

j'	ai	légué
tu	as	légué
elle	a	légué
nous	avons	légué
vous	avez	légué
elles	ont	légué

Imparfait

je	léguais
tu	léguais
elle	léguait
nous	léguions
vous	léguiez
elles	léguaient

Plus-que-parfait

j'	avais	légué
tu	avais	légué
elle	avait	légué
nous	avions	légué
vous	aviez	légué
elles	avaient	légué

Passé simple

je	léguai
tu	léguas
elle	légua
nous	léguâmes
vous	léguâtes
elles	léguèrent

Passé antérieur

j'	eus	légué
tu	eus	légué
elle	eut	légué
nous	eûmes	légué
vous	eûtes	légué
elles	eurent	légué

Futur simple

je	léguerai
tu	légueras
elle	léguera
nous	léguerons
vous	léguerez
elles	légueront

Futur antérieur

j'	aurai	légué
tu	auras	légué
elle	aura	légué
nous	aurons	légué
vous	aurez	légué
elles	auront	légué

Conditionnel présent

je	léguerais
tu	léguerais
elle	léguerait
nous	léguerions
vous	légueriez
elles	légueraient

Conditionnel passé

j'	aurais	légué
tu	aurais	légué
elle	aurait	légué
nous	aurions	légué
vous	auriez	légué
elles	auraient	légué

Subjonctif

Présent
il faut...

que	je	lègue
que	tu	lègues
qu'	elle	lègue
que	nous	léguions
que	vous	léguiez
qu'	elles	lèguent

Passé
il faut...

que	j'	aie	légué
que	tu	aies	légué
qu'	elle	ait	légué
que	nous	ayons	légué
que	vous	ayez	légué
qu'	elles	aient	légué

Imparfait
il fallait...

que	je	léguasse
que	tu	léguasses
qu'	elle	léguât
que	nous	léguassions
que	vous	léguassiez
qu'	elles	léguassent

Plus-que-parfait
il fallait...

que	j'	eusse	légué
que	tu	eusses	légué
qu'	elle	eût	légué
que	nous	eussions	légué
que	vous	eussiez	légué
qu'	elles	eussent	légué

Impératif

Présent

lègue
léguons
léguez

Passé

aie légué
ayons légué
ayez légué

Infinitif

Présent

léguer

Passé

avoir légué

Participe

Présent

léguant

Passé

légué, ée, és, ées
ayant légué

22 espérer

▷ Le « é » du radical devient « è » lorsque la terminaison contient un *e* muet.
▷ Ne pas confondre le « r » du radical et celui de la terminaison.
Au futur simple et au conditionnel présent, le « é » peut se prononcer [è].

Indicatif

Présent		Passé composé		
j'	espère	j'	ai	espéré
tu	espères	tu	as	espéré
il	espère	il	a	espéré
nous	espérons	nous	avons	espéré
vous	espérez	vous	avez	espéré
ils	espèrent	ils	ont	espéré

Imparfait		Plus-que-parfait		
j'	espérais	j'	avais	espéré
tu	espérais	tu	avais	espéré
il	espérait	il	avait	espéré
nous	espérions	nous	avions	espéré
vous	espériez	vous	aviez	espéré
ils	espéraient	ils	avaient	espéré

Passé simple		Passé antérieur		
j'	espérai	j'	eus	espéré
tu	espéras	tu	eus	espéré
il	espéra	il	eut	espéré
nous	espérâmes	nous	eûmes	espéré
vous	espérâtes	vous	eûtes	espéré
ils	espérèrent	ils	eurent	espéré

Futur simple		Futur antérieur		
j'	espérerai	j'	aurai	espéré
tu	espéreras	tu	auras	espéré
il	espérera	il	aura	espéré
nous	espérerons	nous	aurons	espéré
vous	espérerez	vous	aurez	espéré
ils	espéreront	ils	auront	espéré

Conditionnel présent		Conditionnel passé		
j'	espérerais	j'	aurais	espéré
tu	espérerais	tu	aurais	espéré
il	espérerait	il	aurait	espéré
nous	espérerions	nous	aurions	espéré
vous	espéreriez	vous	auriez	espéré
ils	espéreraient	ils	auraient	espéré

Subjonctif

Présent *il faut…*		Passé *il faut…*		
que j'	espère	que j'	aie	espéré
que tu	espères	que tu	aies	espéré
qu' il	espère	qu' il	ait	espéré
que nous	espérions	que nous	ayons	espéré
que vous	espériez	que vous	ayez	espéré
qu' ils	espèrent	qu' ils	aient	espéré

Imparfait *il fallait…*		Plus-que-parfait *il fallait…*		
que j'	espérasse	que j'	eusse	espéré
que tu	espérasses	que tu	eusses	espéré
qu' il	espérât	qu' il	eût	espéré
que nous	espérassions	que nous	eussions	espéré
que vous	espérassiez	que vous	eussiez	espéré
qu' ils	espérassent	qu' ils	eussent	espéré

Impératif

Présent	Passé	
espère	aie	espéré
espérons	ayons	espéré
espérez	ayez	espéré

Infinitif

Présent	Passé	
espérer	avoir	espéré

Participe

Présent	Passé	
espérant	espéré, ée, és, ées	
	ayant	espéré

compléter 23

▷ Le «é» du radical devient «è» lorsque la terminaison contient un *e* muet.
Au futur simple et au conditionnel présent, le «é» peut se prononcer [è].

Indicatif

Présent		Passé composé		
je	complète	j'	ai	complété
tu	complètes	tu	as	complété
elle	complète	elle	a	complété
nous	complétons	nous	avons	complété
vous	complétez	vous	avez	complété
elles	complètent	elles	ont	complété

Imparfait		Plus-que-parfait		
je	complétais	j'	avais	complété
tu	complétais	tu	avais	complété
elle	complétait	elle	avait	complété
nous	complétions	nous	avions	complété
vous	complétiez	vous	aviez	complété
elles	complétaient	elles	avaient	complété

Passé simple		Passé antérieur		
je	complétai	j'	eus	complété
tu	complétas	tu	eus	complété
elle	compléta	elle	eut	complété
nous	complétâmes	nous	eûmes	complété
vous	complétâtes	vous	eûtes	complété
elles	complétèrent	elles	eurent	complété

Futur simple		Futur antérieur		
je	compléterai	j'	aurai	complété
tu	compléteras	tu	auras	complété
elle	complétera	elle	aura	complété
nous	compléterons	nous	aurons	complété
vous	compléterez	vous	aurez	complété
elles	compléteront	elles	auront	complété

Conditionnel présent		Conditionnel passé		
je	compléterais	j'	aurais	complété
tu	compléterais	tu	aurais	complété
elle	compléterait	elle	aurait	complété
nous	compléterions	nous	aurions	complété
vous	compléteriez	vous	auriez	complété
elles	compléteraient	elles	auraient	complété

Subjonctif

Présent *il faut...*		Passé *il faut...*		
que je	complète	que j'	aie	complété
que tu	complètes	que tu	aies	complété
qu' elle	complète	qu' elle	ait	complété
que nous	complétions	que nous	ayons	complété
que vous	complétiez	que vous	ayez	complété
qu' elles	complètent	qu' elles	aient	complété

Imparfait *il fallait...*		Plus-que-parfait *il fallait...*		
que je	complétasse	que j'	eusse	complété
que tu	complétasses	que tu	eusses	complété
qu' elle	complétât	qu' elle	eût	complété
que nous	complétassions	que nous	eussions	complété
que vous	complétassiez	que vous	eussiez	complété
qu' elles	complétassent	qu' elles	eussent	complété

Impératif

Présent	Passé	
complète	aie	complété
complétons	ayons	complété
complétez	ayez	complété

Infinitif

Présent	Passé	
compléter	avoir	complété

Participe

Présent	Passé
complétant	complété, ée, és, ées
	ayant complété

24 protéger

- Le « é » du radical devient « è » lorsque la terminaison contient un ***e*** muet.
- Le « g » du radical devient « ge » devant les voyelles ***a*** et ***o*** pour conserver la prononciation [**j**].

Au futur simple et au conditionnel présent, le « é » peut se prononcer [è].

Indicatif

Présent		**Passé composé**		
je	protège	j'	ai	protégé
tu	protèges	tu	as	protégé
il	protège	il	a	protégé
nous	protégeons	nous	avons	protégé
vous	protégez	vous	avez	protégé
ils	protègent	ils	ont	protégé

Imparfait		**Plus-que-parfait**		
je	protégeais	j'	avais	protégé
tu	protégeais	tu	avais	protégé
il	protégeait	il	avait	protégé
nous	protégions	nous	avions	protégé
vous	protégiez	vous	aviez	protégé
ils	protégeaient	ils	avaient	protégé

Passé simple		**Passé antérieur**		
je	protégeai	j'	eus	protégé
tu	protégeas	tu	eus	protégé
il	protégea	il	eut	protégé
nous	protégeâmes	nous	eûmes	protégé
vous	protégeâtes	vous	eûtes	protégé
ils	protégèrent	ils	eurent	protégé

Futur simple		**Futur antérieur**		
je	protégerai	j'	aurai	protégé
tu	protégeras	tu	auras	protégé
il	protégera	il	aura	protégé
nous	protégerons	nous	aurons	protégé
vous	protégerez	vous	aurez	protégé
ils	protégeront	ils	auront	protégé

Conditionnel présent		**Conditionnel passé**		
je	protégerais	j'	aurais	protégé
tu	protégerais	tu	aurais	protégé
il	protégerait	il	aurait	protégé
nous	protégerions	nous	aurions	protégé
vous	protégeriez	vous	auriez	protégé
ils	protégeraient	ils	auraient	protégé

Subjonctif

Présent *il faut…*		**Passé** *il faut…*		
que je	protège	que j'	aie	protégé
que tu	protèges	que tu	aies	protégé
qu' il	protège	qu' il	ait	protégé
que nous	protégions	que nous	ayons	protégé
que vous	protégiez	que vous	ayez	protégé
qu' ils	protègent	qu' ils	aient	protégé

Imparfait *il fallait…*		**Plus-que-parfait** *il fallait…*		
que je	protégeasse	que j'	eusse	protégé
que tu	protégeasses	que tu	eusses	protégé
qu' il	protégeât	qu' il	eût	protégé
que nous	protégeassions	que nous	eussions	protégé
que vous	protégeassiez	que vous	eussiez	protégé
qu' ils	protégeassent	qu' ils	eussent	protégé

Impératif

Présent	**Passé**	
protège	aie	protégé
protégeons	ayons	protégé
protégez	ayez	protégé

Infinitif

Présent	**Passé**	
protéger	avoir	protégé

Participe

Présent	**Passé**	
protégeant	protégé, ée, és, ées	
	ayant	protégé

acheter 25

▷ Le « e » du radical devient « è » lorsque la syllabe suivante contient un *e* muet ou le son [e].

Indicatif

Présent

j'	achète
tu	achètes
elle	achète
nous	achetons
vous	achetez
elles	achètent

Passé composé

j'	ai	acheté
tu	as	acheté
elle	a	acheté
nous	avons	acheté
vous	avez	acheté
elles	ont	acheté

Imparfait

j'	achetais
tu	achetais
elle	achetait
nous	achetions
vous	achetiez
elles	achetaient

Plus-que-parfait

j'	avais	acheté
tu	avais	acheté
elle	avait	acheté
nous	avions	acheté
vous	aviez	acheté
elles	avaient	acheté

Passé simple

j'	achetai
tu	achetas
elle	acheta
nous	achetâmes
vous	achetâtes
elles	achetèrent

Passé antérieur

j'	eus	acheté
tu	eus	acheté
elle	eut	acheté
nous	eûmes	acheté
vous	eûtes	acheté
elles	eurent	acheté

Futur simple

j'	achèterai
tu	achèteras
elle	achètera
nous	achèterons
vous	achèterez
elles	achèteront

Futur antérieur

j'	aurai	acheté
tu	auras	acheté
elle	aura	acheté
nous	aurons	acheté
vous	aurez	acheté
elles	auront	acheté

Conditionnel présent

j'	achèterais
tu	achèterais
elle	achèterait
nous	achèterions
vous	achèteriez
elles	achèteraient

Conditionnel passé

j'	aurais	acheté
tu	aurais	acheté
elle	aurait	acheté
nous	aurions	acheté
vous	auriez	acheté
elles	auraient	acheté

Subjonctif

Présent
il faut...

que	j'	achète
que	tu	achètes
qu'	elle	achète
que	nous	achetions
que	vous	achetiez
qu'	elles	achètent

Passé
il faut...

que	j'	aie	acheté
que	tu	aies	acheté
qu'	elle	ait	acheté
que	nous	ayons	acheté
que	vous	ayez	acheté
qu'	elles	aient	acheté

Imparfait
il fallait...

que	j'	achetasse
que	tu	achetasses
qu'	elle	achetât
que	nous	achetassions
que	vous	achetassiez
qu'	elles	achetassent

Plus-que-parfait
il fallait...

que	j'	eusse	acheté
que	tu	eusses	acheté
qu'	elle	eût	acheté
que	nous	eussions	acheté
que	vous	eussiez	acheté
qu'	elles	eussent	acheté

Impératif

Présent

achète
achetons
achetez

Passé

aie acheté
ayons acheté
ayez acheté

Infinitif

Présent

acheter

Passé

avoir acheté

Participe

Présent

achetant

Passé

acheté, ée, és, ées
ayant acheté

emmener

▷ Le « e » du radical devient « è » lorsque la syllabe suivante contient un *e* muet ou le son [e].

Indicatif

Présent		**Passé composé**		
j'	emmène	j'	ai	emmené
tu	emmènes	tu	as	emmené
il	emmène	il	a	emmené
nous	emmenons	nous	avons	emmené
vous	emmenez	vous	avez	emmené
ils	emmènent	ils	ont	emmené

Imparfait		**Plus-que-parfait**		
j'	emmenais	j'	avais	emmené
tu	emmenais	tu	avais	emmené
il	emmenait	il	avait	emmené
nous	emmenions	nous	avions	emmené
vous	emmeniez	vous	aviez	emmené
ils	emmenaient	ils	avaient	emmené

Passé simple		**Passé antérieur**		
j'	emmenai	j'	eus	emmené
tu	emmenas	tu	eus	emmené
il	emmena	il	eut	emmené
nous	emmenâmes	nous	eûmes	emmené
vous	emmenâtes	vous	eûtes	emmené
ils	emmenèrent	ils	eurent	emmené

Futur simple		**Futur antérieur**		
j'	emmènerai	j'	aurai	emmené
tu	emmèneras	tu	auras	emmené
il	emmènera	il	aura	emmené
nous	emmènerons	nous	aurons	emmené
vous	emmènerez	vous	aurez	emmené
ils	emmèneront	ils	auront	emmené

Conditionnel présent		**Conditionnel passé**		
j'	emmènerais	j'	aurais	emmené
tu	emmènerais	tu	aurais	emmené
il	emmènerait	il	aurait	emmené
nous	emmènerions	nous	aurions	emmené
vous	emmèneriez	vous	auriez	emmené
ils	emmèneraient	ils	auraient	emmené

Subjonctif

Présent *il faut...*			**Passé** *il faut...*			
que	j'	emmène	que	j'	aie	emmené
que	tu	emmènes	que	tu	aies	emmené
qu'	il	emmène	qu'	il	ait	emmené
que	nous	emmenions	que	nous	ayons	emmené
que	vous	emmeniez	que	vous	ayez	emmené
qu'	ils	emmènent	qu'	ils	aient	emmené

Imparfait *il fallait...*			**Plus-que-parfait** *il fallait...*			
que	j'	emmenasse	que	j'	eusse	emmené
que	tu	emmenasses	que	tu	eusses	emmené
qu'	il	emmenât	qu'	il	eût	emmené
que	nous	emmenassions	que	nous	eussions	emmené
que	vous	emmenassiez	que	vous	eussiez	emmené
qu'	ils	emmenassent	qu'	ils	eussent	emmené

Impératif

Présent	**Passé**	
emmène	aie	emmené
emmenons	ayons	emmené
emmenez	ayez	emmené

Infinitif

Présent	**Passé**	
emmener	avoir	emmené

Participe

Présent	**Passé**	
emmenant	emmené, ée, és, ées	
	ayant	emmené

enlever 27

▷ Le « e » du radical devient « è » lorsque la syllabe suivante contient un *e* muet ou le son [e].

Indicatif

Présent		Passé composé		
j'	enlève	j'	ai	enlevé
tu	enlèves	tu	as	enlevé
elle	enlève	elle	a	enlevé
nous	enlevons	nous	avons	enlevé
vous	enlevez	vous	avez	enlevé
elles	enlèvent	elles	ont	enlevé

Imparfait		Plus-que-parfait		
j'	enlevais	j'	avais	enlevé
tu	enlevais	tu	avais	enlevé
elle	enlevait	elle	avait	enlevé
nous	enlevions	nous	avions	enlevé
vous	enleviez	vous	aviez	enlevé
elles	enlevaient	elles	avaient	enlevé

Passé simple		Passé antérieur		
j'	enlevai	j'	eus	enlevé
tu	enlevas	tu	eus	enlevé
elle	enleva	elle	eut	enlevé
nous	enlevâmes	nous	eûmes	enlevé
vous	enlevâtes	vous	eûtes	enlevé
elles	enlevèrent	elles	eurent	enlevé

Futur simple		Futur antérieur		
j'	enlèverai	j'	aurai	enlevé
tu	enlèveras	tu	auras	enlevé
elle	enlèvera	elle	aura	enlevé
nous	enlèverons	nous	aurons	enlevé
vous	enlèverez	vous	aurez	enlevé
elles	enlèveront	elles	auront	enlevé

Conditionnel présent		Conditionnel passé		
j'	enlèverais	j'	aurais	enlevé
tu	enlèverais	tu	aurais	enlevé
elle	enlèverait	elle	aurait	enlevé
nous	enlèverions	nous	aurions	enlevé
vous	enlèveriez	vous	auriez	enlevé
elles	enlèveraient	elles	auraient	enlevé

Subjonctif

Présent *il faut...*			Passé *il faut...*			
que	j'	enlève	que	j'	aie	enlevé
que	tu	enlèves	que	tu	aies	enlevé
qu'	elle	enlève	qu'	elle	ait	enlevé
que	nous	enlevions	que	nous	ayons	enlevé
que	vous	enleviez	que	vous	ayez	enlevé
qu'	elles	enlèvent	qu'	elles	aient	enlevé

Imparfait *il fallait...*			Plus-que-parfait *il fallait...*			
que	j'	enlevasse	que	j'	eusse	enlevé
que	tu	enlevasses	que	tu	eusses	enlevé
qu'	elle	enlevât	qu'	elle	eût	enlevé
que	nous	enlevassions	que	nous	eussions	enlevé
que	vous	enlevassiez	que	vous	eussiez	enlevé
qu'	elles	enlevassent	qu'	elles	eussent	enlevé

Impératif

Présent	Passé	
enlève	aie	enlevé
enlevons	ayons	enlevé
enlevez	ayez	enlevé

Infinitif

Présent	Passé	
enlever	avoir	enlevé

Participe

Présent	Passé	
enlevant	enlevé, ée, és, ées	
	ayant	enlevé

28 geler

▷ Le « e » du radical devient « è » lorsque la syllabe suivante contient un *e* muet ou le son [e].

Indicatif

Présent		Passé composé		
je	gèle	j'	ai	gelé
tu	gèles	tu	as	gelé
il	gèle	il	a	gelé
nous	gelons	nous	avons	gelé
vous	gelez	vous	avez	gelé
ils	gèlent	ils	ont	gelé

Imparfait		Plus-que-parfait		
je	gelais	j'	avais	gelé
tu	gelais	tu	avais	gelé
il	gelait	il	avait	gelé
nous	gelions	nous	avions	gelé
vous	geliez	vous	aviez	gelé
ils	gelaient	ils	avaient	gelé

Passé simple		Passé antérieur		
je	gelai	j'	eus	gelé
tu	gelas	tu	eus	gelé
il	gela	il	eut	gelé
nous	gelâmes	nous	eûmes	gelé
vous	gelâtes	vous	eûtes	gelé
ils	gelèrent	ils	eurent	gelé

Futur simple		Futur antérieur		
je	gèlerai	j'	aurai	gelé
tu	gèleras	tu	auras	gelé
il	gèlera	il	aura	gelé
nous	gèlerons	nous	aurons	gelé
vous	gèlerez	vous	aurez	gelé
ils	gèleront	ils	auront	gelé

Conditionnel présent		Conditionnel passé		
je	gèlerais	j'	aurais	gelé
tu	gèlerais	tu	aurais	gelé
il	gèlerait	il	aurait	gelé
nous	gèlerions	nous	aurions	gelé
vous	gèleriez	vous	auriez	gelé
ils	gèleraient	ils	auraient	gelé

Subjonctif

Présent *il faut...*			Passé *il faut...*			
que	je	gèle	que	j'	aie	gelé
que	tu	gèles	que	tu	aies	gelé
qu'	il	gèle	qu'	il	ait	gelé
que	nous	gelions	que	nous	ayons	gelé
que	vous	geliez	que	vous	ayez	gelé
qu'	ils	gèlent	qu'	ils	aient	gelé

Imparfait *il fallait...*			Plus-que-parfait *il fallait...*			
que	je	gelasse	que	j'	eusse	gelé
que	tu	gelasses	que	tu	eusses	gelé
qu'	il	gelât	qu'	il	eût	gelé
que	nous	gelassions	que	nous	eussions	gelé
que	vous	gelassiez	que	vous	eussiez	gelé
qu'	ils	gelassent	qu'	ils	eussent	gelé

Impératif

Présent	Passé	
gèle	aie	gelé
gelons	ayons	gelé
gelez	ayez	gelé

Infinitif

Présent	Passé	
geler	avoir	gelé

Participe

Présent	Passé	
gelant	gelé, ée, és, ées	
	ayant	gelé

appeler 29

▷ Le « l » du radical devient « ll » devant un *e* muet ou le son [e].

Indicatif

Présent

j'	appelle
tu	appelles
elle	appelle
nous	appelons
vous	appelez
elles	appellent

Passé composé

j'	ai	appelé
tu	as	appelé
elle	a	appelé
nous	avons	appelé
vous	avez	appelé
elles	ont	appelé

Imparfait

j'	appelais
tu	appelais
elle	appelait
nous	appelions
vous	appeliez
elles	appelaient

Plus-que-parfait

j'	avais	appelé
tu	avais	appelé
elle	avait	appelé
nous	avions	appelé
vous	aviez	appelé
elles	avaient	appelé

Passé simple

j'	appelai
tu	appelas
elle	appela
nous	appelâmes
vous	appelâtes
elles	appelèrent

Passé antérieur

j'	eus	appelé
tu	eus	appelé
elle	eut	appelé
nous	eûmes	appelé
vous	eûtes	appelé
elles	eurent	appelé

Futur simple

j'	appellerai
tu	appelleras
elle	appellera
nous	appellerons
vous	appellerez
elles	appelleront

Futur antérieur

j'	aurai	appelé
tu	auras	appelé
elle	aura	appelé
nous	aurons	appelé
vous	aurez	appelé
elles	auront	appelé

Conditionnel présent

j'	appellerais
tu	appellerais
elle	appellerait
nous	appellerions
vous	appelleriez
elles	appelleraient

Conditionnel passé

j'	aurais	appelé
tu	aurais	appelé
elle	aurait	appelé
nous	aurions	appelé
vous	auriez	appelé
elles	auraient	appelé

Subjonctif

Présent
il faut...

que	j'	appelle
que	tu	appelles
qu'	elle	appelle
que	nous	appelions
que	vous	appeliez
qu'	elles	appellent

Passé
il faut...

que	j'	aie	appelé
que	tu	aies	appelé
qu'	elle	ait	appelé
que	nous	ayons	appelé
que	vous	ayez	appelé
qu'	elles	aient	appelé

Imparfait
il fallait...

que	j'	appelasse
que	tu	appelasses
qu'	elle	appelât
que	nous	appelassions
que	vous	appelassiez
qu'	elles	appelassent

Plus-que-parfait
il fallait...

que	j'	eusse	appelé
que	tu	eusses	appelé
qu'	elle	eût	appelé
que	nous	eussions	appelé
que	vous	eussiez	appelé
qu'	elles	eussent	appelé

Impératif

Présent

appelle
appelons
appelez

Passé

aie appelé
ayons appelé
ayez appelé

Infinitif

Présent

appeler

Passé

avoir appelé

Participe

Présent

appelant

Passé

appelé, ée, és, ées
ayant appelé

30 jeter

▷ Le « t » du radical devient « tt » devant un *e* muet ou le son [e].

Indicatif

Présent		Passé composé		
je	jette	j'	ai	jeté
tu	jettes	tu	as	jeté
il	jette	il	a	jeté
nous	jetons	nous	avons	jeté
vous	jetez	vous	avez	jeté
ils	jettent	ils	ont	jeté

Imparfait		Plus-que-parfait		
je	jetais	j'	avais	jeté
tu	jetais	tu	avais	jeté
il	jetait	il	avait	jeté
nous	jetions	nous	avions	jeté
vous	jetiez	vous	aviez	jeté
ils	jetaient	ils	avaient	jeté

Passé simple		Passé antérieur		
je	jetai	j'	eus	jeté
tu	jetas	tu	eus	jeté
il	jeta	il	eut	jeté
nous	jetâmes	nous	eûmes	jeté
vous	jetâtes	vous	eûtes	jeté
ils	jetèrent	ils	eurent	jeté

Futur simple		Futur antérieur		
je	jetterai	j'	aurai	jeté
tu	jetteras	tu	auras	jeté
il	jettera	il	aura	jeté
nous	jetterons	nous	aurons	jeté
vous	jetterez	vous	aurez	jeté
ils	jetteront	ils	auront	jeté

Conditionnel présent		Conditionnel passé		
je	jetterais	j'	aurais	jeté
tu	jetterais	tu	aurais	jeté
il	jetterait	il	aurait	jeté
nous	jetterions	nous	aurions	jeté
vous	jetteriez	vous	auriez	jeté
ils	jetteraient	ils	auraient	jeté

Subjonctif

Présent *il faut...*			Passé *il faut...*			
que	je	jette	que	j'	aie	jeté
que	tu	jettes	que	tu	aies	jeté
qu'	il	jette	qu'	il	ait	jeté
que	nous	jetions	que	nous	ayons	jeté
que	vous	jetiez	que	vous	ayez	jeté
qu'	ils	jettent	qu'	ils	aient	jeté

Imparfait *il fallait...*			Plus-que-parfait *il fallait...*			
que	je	jetasse	que	j'	eusse	jeté
que	tu	jetasses	que	tu	eusses	jeté
qu'	il	jetât	qu'	il	eût	jeté
que	nous	jetassions	que	nous	eussions	jeté
que	vous	jetassiez	que	vous	eussiez	jeté
qu'	ils	jetassent	qu'	ils	eussent	jeté

Impératif

Présent	Passé	
jette	aie	jeté
jetons	ayons	jeté
jetez	ayez	jeté

Infinitif

Présent	Passé	
jeter	avoir	jeté

Participe

Présent	Passé	
jetant	jeté, ée, és, ées	
	ayant	jeté

créer 31

▷ Le participe passé des verbes en *-éer* comporte « éé ».
On conserve le « é » à la fin du radical à tous les temps.

Indicatif

Présent		Passé composé		
je	crée	j'	ai	créé
tu	crées	tu	as	créé
elle	crée	elle	a	créé
nous	créons	nous	avons	créé
vous	créez	vous	avez	créé
elles	créent	elles	ont	créé

Imparfait		Plus-que-parfait		
je	créais	j'	avais	créé
tu	créais	tu	avais	créé
elle	créait	elle	avait	créé
nous	créions	nous	avions	créé
vous	créiez	vous	aviez	créé
elles	créaient	elles	avaient	créé

Passé simple		Passé antérieur		
je	créai	j'	eus	créé
tu	créas	tu	eus	créé
elle	créa	elle	eut	créé
nous	créâmes	nous	eûmes	créé
vous	créâtes	vous	eûtes	créé
elles	créèrent	elles	eurent	créé

Futur simple		Futur antérieur		
je	créerai	j'	aurai	créé
tu	créeras	tu	auras	créé
elle	créera	elle	aura	créé
nous	créerons	nous	aurons	créé
vous	créerez	vous	aurez	créé
elles	créeront	elles	auront	créé

Conditionnel présent		Conditionnel passé		
je	créerais	j'	aurais	créé
tu	créerais	tu	aurais	créé
elle	créerait	elle	aurait	créé
nous	créerions	nous	aurions	créé
vous	créeriez	vous	auriez	créé
elles	créeraient	elles	auraient	créé

Subjonctif

Présent *il faut...*			Passé *il faut...*			
que	je	crée	que	j'	aie	créé
que	tu	crées	que	tu	aies	créé
qu'	elle	crée	qu'	elle	ait	créé
que	nous	créions	que	nous	ayons	créé
que	vous	créiez	que	vous	ayez	créé
qu'	elles	créent	qu'	elles	aient	créé

Imparfait *il fallait...*			Plus-que-parfait *il fallait...*			
que	je	créasse	que	j'	eusse	créé
que	tu	créasses	que	tu	eusses	créé
qu'	elle	créât	qu'	elle	eût	créé
que	nous	créassions	que	nous	eussions	créé
que	vous	créassiez	que	vous	eussiez	créé
qu'	elles	créassent	qu'	elles	eussent	créé

Impératif

Présent	Passé	
crée	aie	créé
créons	ayons	créé
créez	ayez	créé

Infinitif

Présent	Passé	
créer	avoir	créé

Participe

Présent	Passé
créant	créé, créée, créés, créées
	ayant créé

32 étudier

▷ L'imparfait de l'indicatif et le présent du subjonctif comportent « ii ».
▷ Au futur simple et au conditionnel présent, le « e » de la terminaison devient muet.

Indicatif

Présent

j'	étudie
tu	étudies
il	étudie
nous	étudions
vous	étudiez
ils	étudient

Passé composé

j'	ai	étudié
tu	as	étudié
il	a	étudié
nous	avons	étudié
vous	avez	étudié
ils	ont	étudié

Imparfait

j'	étudiais
tu	étudiais
il	étudiait
nous	étudiions
vous	étudiiez
ils	étudiaient

Plus-que-parfait

j'	avais	étudié
tu	avais	étudié
il	avait	étudié
nous	avions	étudié
vous	aviez	étudié
ils	avaient	étudié

Passé simple

j'	étudiai
tu	étudias
il	étudia
nous	étudiâmes
vous	étudiâtes
ils	étudièrent

Passé antérieur

j'	eus	étudié
tu	eus	étudié
il	eut	étudié
nous	eûmes	étudié
vous	eûtes	étudié
ils	eurent	étudié

Futur simple

j'	étudierai
tu	étudieras
il	étudiera
nous	étudierons
vous	étudierez
ils	étudieront

Futur antérieur

j'	aurai	étudié
tu	auras	étudié
il	aura	étudié
nous	aurons	étudié
vous	aurez	étudié
ils	auront	étudié

Conditionnel présent

j'	étudierais
tu	étudierais
il	étudierait
nous	étudierions
vous	étudieriez
ils	étudieraient

Conditionnel passé

j'	aurais	étudié
tu	aurais	étudié
il	aurait	étudié
nous	aurions	étudié
vous	auriez	étudié
ils	auraient	étudié

Subjonctif

Présent
il faut...

que	j'	étudie
que	tu	étudies
qu'	il	étudie
que	nous	étudiions
que	vous	étudiiez
qu'	ils	étudient

Passé
il faut...

que	j'	aie	étudié
que	tu	aies	étudié
qu'	il	ait	étudié
que	nous	ayons	étudié
que	vous	ayez	étudié
qu'	ils	aient	étudié

Imparfait
il fallait...

que	j'	étudiasse
que	tu	étudiasses
qu'	il	étudiât
que	nous	étudiassions
que	vous	étudiassiez
qu'	ils	étudiassent

Plus-que-parfait
il fallait...

que	j'	eusse	étudié
que	tu	eusses	étudié
qu'	il	eût	étudié
que	nous	eussions	étudié
que	vous	eussiez	étudié
qu'	ils	eussent	étudié

Impératif

Présent

étudie
étudions
étudiez

Passé

aie étudié
ayons étudié
ayez étudié

Infinitif

Présent

étudier

Passé

avoir étudié

Participe

Présent

étudiant

Passé

étudié, ée, és, ées
ayant étudié

jouer 33

▷ Au futur simple et au conditionnel présent, le « e » de la terminaison devient muet.

Indicatif

Présent

je	joue
tu	joues
elle	joue
nous	jouons
vous	jouez
elles	jouent

Passé composé

j'	ai	joué
tu	as	joué
elle	a	joué
nous	avons	joué
vous	avez	joué
elles	ont	joué

Imparfait

je	jouais
tu	jouais
elle	jouait
nous	jouions
vous	jouiez
elles	jouaient

Plus-que-parfait

j'	avais	joué
tu	avais	joué
elle	avait	joué
nous	avions	joué
vous	aviez	joué
elles	avaient	joué

Passé simple

je	jouai
tu	jouas
elle	joua
nous	jouâmes
vous	jouâtes
elles	jouèrent

Passé antérieur

j'	eus	joué
tu	eus	joué
elle	eut	joué
nous	eûmes	joué
vous	eûtes	joué
elles	eurent	joué

Futur simple

je	jouerai
tu	joueras
elle	jouera
nous	jouerons
vous	jouerez
elles	joueront

Futur antérieur

j'	aurai	joué
tu	auras	joué
elle	aura	joué
nous	aurons	joué
vous	aurez	joué
elles	auront	joué

Conditionnel présent

je	jouerais
tu	jouerais
elle	jouerait
nous	jouerions
vous	joueriez
elles	joueraient

Conditionnel passé

j'	aurais	joué
tu	aurais	joué
elle	aurait	joué
nous	aurions	joué
vous	auriez	joué
elles	auraient	joué

Subjonctif

Présent

il faut...

que	je	joue
que	tu	joues
qu'	elle	joue
que	nous	jouions
que	vous	jouiez
qu'	elles	jouent

Passé

il faut...

que	j'	aie	joué
que	tu	aies	joué
qu'	elle	ait	joué
que	nous	ayons	joué
que	vous	ayez	joué
qu'	elles	aient	joué

Imparfait

il fallait...

que	je	jouasse
que	tu	jouasses
qu'	elle	jouât
que	nous	jouassions
que	vous	jouassiez
qu'	elles	jouassent

Plus-que-parfait

il fallait...

que	j'	eusse	joué
que	tu	eusses	joué
qu'	elle	eût	joué
que	nous	eussions	joué
que	vous	eussiez	joué
qu'	elles	eussent	joué

Impératif

Présent

joue
jouons
jouez

Passé

aie	joué
ayons	joué
ayez	joué

Infinitif

Présent

jouer

Passé

avoir joué

Participe

Présent

jouant

Passé

joué, ée, és, ées
ayant joué

34 mesurer

▷ Ne pas confondre le « r » du radical et celui de la terminaison.

Indicatif

Présent		**Passé composé**		
je	mesure	j'	ai	mesuré
tu	mesures	tu	as	mesuré
il	mesure	il	a	mesuré
nous	mesurons	nous	avons	mesuré
vous	mesurez	vous	avez	mesuré
ils	mesurent	ils	ont	mesuré

Imparfait		**Plus-que-parfait**		
je	mesurais	j'	avais	mesuré
tu	mesurais	tu	avais	mesuré
il	mesurait	il	avait	mesuré
nous	mesurions	nous	avions	mesuré
vous	mesuriez	vous	aviez	mesuré
ils	mesuraient	ils	avaient	mesuré

Passé simple		**Passé antérieur**		
je	mesurai	j'	eus	mesuré
tu	mesuras	tu	eus	mesuré
il	mesura	il	eut	mesuré
nous	mesurâmes	nous	eûmes	mesuré
vous	mesurâtes	vous	eûtes	mesuré
ils	mesurèrent	ils	eurent	mesuré

Futur simple		**Futur antérieur**		
je	mesurerai	j'	aurai	mesuré
tu	mesureras	tu	auras	mesuré
il	mesurera	il	aura	mesuré
nous	mesurerons	nous	aurons	mesuré
vous	mesurerez	vous	aurez	mesuré
ils	mesureront	ils	auront	mesuré

Conditionnel présent		**Conditionnel passé**		
je	mesurerais	j'	aurais	mesuré
tu	mesurerais	tu	aurais	mesuré
il	mesurerait	il	aurait	mesuré
nous	mesurerions	nous	aurions	mesuré
vous	mesureriez	vous	auriez	mesuré
ils	mesureraient	ils	auraient	mesuré

Subjonctif

Présent *il faut…*			**Passé** *il faut…*			
que	je	mesure	que	j'	aie	mesuré
que	tu	mesures	que	tu	aies	mesuré
qu'	il	mesure	qu'	il	ait	mesuré
que	nous	mesurions	que	nous	ayons	mesuré
que	vous	mesuriez	que	vous	ayez	mesuré
qu'	ils	mesurent	qu'	ils	aient	mesuré

Imparfait *il fallait…*			**Plus-que-parfait** *il fallait…*			
que	je	mesurasse	que	j'	eusse	mesuré
que	tu	mesurasses	que	tu	eusses	mesuré
qu'	il	mesurât	qu'	il	eût	mesuré
que	nous	mesurassions	que	nous	eussions	mesuré
que	vous	mesurassiez	que	vous	eussiez	mesuré
qu'	ils	mesurassent	qu'	ils	eussent	mesuré

Impératif

Présent	**Passé**	
mesure	aie	mesuré
mesurons	ayons	mesuré
mesurez	ayez	mesuré

Infinitif

Présent	**Passé**	
mesurer	avoir	mesuré

Participe

Présent	**Passé**	
mesurant	mesuré, ée, és, ées	
	ayant	mesuré

serrer 35

▷ Ne pas confondre les « rr » du radical et le « r » de la terminaison.

Indicatif

Présent		Passé composé		
je	serre	j'	ai	serré
tu	serres	tu	as	serré
elle	serre	elle	a	serré
nous	serrons	nous	avons	serré
vous	serrez	vous	avez	serré
elles	serrent	elles	ont	serré

Imparfait		Plus-que-parfait		
je	serrais	j'	avais	serré
tu	serrais	tu	avais	serré
elle	serrait	elle	avait	serré
nous	serrions	nous	avions	serré
vous	serriez	vous	aviez	serré
elles	serraient	elles	avaient	serré

Passé simple		Passé antérieur		
je	serrai	j'	eus	serré
tu	serras	tu	eus	serré
elle	serra	elle	eut	serré
nous	serrâmes	nous	eûmes	serré
vous	serrâtes	vous	eûtes	serré
elles	serrèrent	elles	eurent	serré

Futur simple		Futur antérieur		
je	serrerai	j'	aurai	serré
tu	serreras	tu	auras	serré
elle	serrera	elle	aura	serré
nous	serrerons	nous	aurons	serré
vous	serrerez	vous	aurez	serré
elles	serreront	elles	auront	serré

Conditionnel présent		Conditionnel passé		
je	serrerais	j'	aurais	serré
tu	serrerais	tu	aurais	serré
elle	serrerait	elle	aurait	serré
nous	serrerions	nous	aurions	serré
vous	serreriez	vous	auriez	serré
elles	serreraient	elles	auraient	serré

Subjonctif

Présent *il faut...*			Passé *il faut...*			
que	je	serre	que	j'	aie	serré
que	tu	serres	que	tu	aies	serré
qu'	elle	serre	qu'	elle	ait	serré
que	nous	serrions	que	nous	ayons	serré
que	vous	serriez	que	vous	ayez	serré
qu'	elles	serrent	qu'	elles	aient	serré

Imparfait *il fallait...*			Plus-que-parfait *il fallait...*			
que	je	serrasse	que	j'	eusse	serré
que	tu	serrasses	que	tu	eusses	serré
qu'	elle	serrât	qu'	elle	eût	serré
que	nous	serrassions	que	nous	eussions	serré
que	vous	serrassiez	que	vous	eussiez	serré
qu'	elles	serrassent	qu'	elles	eussent	serré

Impératif

Présent	Passé	
serre	aie	serré
serrons	ayons	serré
serrez	ayez	serré

Infinitif

Présent	Passé	
serrer	avoir	serré

Participe

Présent	Passé	
serrant	serré, ée, és, ées	
	ayant	serré

36 payer

▷ Les verbes en *-ayer* peuvent conserver le « y » dans toute la conjugaison et se conjuguent comme *aimer* (voir le tableau 12). Toutefois, le « y » du radical peut aussi devenir un « i » devant un *e* muet.

▷ On conserve les terminaisons *-ions* et *-iez* malgré la prononciation du « y ».

Indicatif

Présent

je	paye ou paie
tu	payes ou paies
il	paye ou paie
nous	payons
vous	payez
ils	payent ou paient

Passé composé

j'	ai	payé
tu	as	payé
il	a	payé
nous	avons	payé
vous	avez	payé
ils	ont	payé

Imparfait

je	payais
tu	payais
il	payait
nous	payions
vous	payiez
ils	payaient

Plus-que-parfait

j'	avais	payé
tu	avais	payé
il	avait	payé
nous	avions	payé
vous	aviez	payé
ils	avaient	payé

Passé simple

je	payai
tu	payas
il	paya
nous	payâmes
vous	payâtes
ils	payèrent

Passé antérieur

j'	eus	payé
tu	eus	payé
il	eut	payé
nous	eûmes	payé
vous	eûtes	payé
ils	eurent	payé

Futur simple

je	payerai ou paierai
tu	payeras ou paieras
il	payera ou paiera
nous	payerons ou paierons
vous	payerez ou paierez
ils	payeront ou paieront

Futur antérieur

j'	aurai	payé
tu	auras	payé
il	aura	payé
nous	aurons	payé
vous	aurez	payé
ils	auront	payé

Conditionnel présent

je	payerais ou paierais
tu	payerais ou paierais
il	payerait ou paierait
nous	payerions ou paierions
vous	payeriez ou paieriez
ils	payeraient ou paieraient

Conditionnel passé

j'	aurais	payé
tu	aurais	payé
il	aurait	payé
nous	aurions	payé
vous	auriez	payé
ils	auraient	payé

Subjonctif

Présent
il faut...

que	je	paye ou paie
que	tu	payes ou paies
qu'	il	paye ou paie
que	nous	payions
que	vous	payiez
qu'	ils	payent ou paient

Passé
il faut...

que	j'	aie	payé
que	tu	aies	payé
qu'	il	ait	payé
que	nous	ayons	payé
que	vous	ayez	payé
qu'	ils	aient	payé

Imparfait
il fallait...

que	je	payasse
que	tu	payasses
qu'	il	payât
que	nous	payassions
que	vous	payassiez
qu'	ils	payassent

Plus-que-parfait
il fallait...

que	j'	eusse	payé
que	tu	eusses	payé
qu'	il	eût	payé
que	nous	eussions	payé
que	vous	eussiez	payé
qu'	ils	eussent	payé

Impératif

Présent

paye ou paie
payons
payez

Passé

aie	payé
ayons	payé
ayez	payé

Infinitif

Présent

payer

Passé

avoir payé

Participe

Présent

payant

Passé

payé, ée, és, ées
ayant payé

nettoyer 37

▷ Le « y » du radical devient « i » devant un *e* muet.

▷ On conserve les terminaisons -*ions* et -*iez* malgré la prononciation du « y ».

Indicatif

Présent

je	nettoie
tu	nettoies
elle	nettoie
nous	nettoyons
vous	nettoyez
elles	nettoient

Passé composé

j'	ai	nettoyé
tu	as	nettoyé
elle	a	nettoyé
nous	avons	nettoyé
vous	avez	nettoyé
elles	ont	nettoyé

Imparfait

je	nettoyais
tu	nettoyais
elle	nettoyait
nous	nettoyions
vous	nettoyiez
elles	nettoyaient

Plus-que-parfait

j'	avais	nettoyé
tu	avais	nettoyé
elle	avait	nettoyé
nous	avions	nettoyé
vous	aviez	nettoyé
elles	avaient	nettoyé

Passé simple

je	nettoyai
tu	nettoyas
elle	nettoya
nous	nettoyâmes
vous	nettoyâtes
elles	nettoyèrent

Passé antérieur

j'	eus	nettoyé
tu	eus	nettoyé
elle	eut	nettoyé
nous	eûmes	nettoyé
vous	eûtes	nettoyé
elles	eurent	nettoyé

Futur simple

je	nettoierai
tu	nettoieras
elle	nettoiera
nous	nettoierons
vous	nettoierez
elles	nettoieront

Futur antérieur

j'	aurai	nettoyé
tu	auras	nettoyé
elle	aura	nettoyé
nous	aurons	nettoyé
vous	aurez	nettoyé
elles	auront	nettoyé

Conditionnel présent

je	nettoierais
tu	nettoierais
elle	nettoierait
nous	nettoierions
vous	nettoieriez
elles	nettoieraient

Conditionnel passé

j'	aurais	nettoyé
tu	aurais	nettoyé
elle	aurait	nettoyé
nous	aurions	nettoyé
vous	auriez	nettoyé
elles	auraient	nettoyé

Subjonctif

Présent

il faut…

que	je	nettoie
que	tu	nettoies
qu'	elle	nettoie
que	nous	nettoyions
que	vous	nettoyiez
qu'	elles	nettoient

Passé

il faut…

que	j'	aie	nettoyé
que	tu	aies	nettoyé
qu'	elle	ait	nettoyé
que	nous	ayons	nettoyé
que	vous	ayez	nettoyé
qu'	elles	aient	nettoyé

Imparfait

il fallait…

que	je	nettoyasse
que	tu	nettoyasses
qu'	elle	nettoyât
que	nous	nettoyassions
que	vous	nettoyassiez
qu'	elles	nettoyassent

Plus-que-parfait

il fallait…

que	j'	eusse	nettoyé
que	tu	eusses	nettoyé
qu'	elle	eût	nettoyé
que	nous	eussions	nettoyé
que	vous	eussiez	nettoyé
qu'	elles	eussent	nettoyé

Impératif

Présent

nettoie
nettoyons
nettoyez

Passé

aie	nettoyé
ayons	nettoyé
ayez	nettoyé

Infinitif

Présent

nettoyer

Passé

avoir nettoyé

Participe

Présent

nettoyant

Passé

nettoyé, ée, és, ées
ayant nettoyé

38 envoyer

▷ Le « y » du radical devient « i » devant un *e* muet.

▷ On conserve les terminaisons *-ions* et *-iez* malgré la prononciation du « y ».

▷ Au futur simple et au conditionnel présent, le radical devient « enver- » et les terminaisons perdent leur « e ».

Indicatif

Présent		Passé composé		
j'	envoie	j'	ai	envoyé
tu	envoies	tu	as	envoyé
il	envoie	il	a	envoyé
nous	envoyons	nous	avons	envoyé
vous	envoyez	vous	avez	envoyé
ils	envoient	ils	ont	envoyé

Imparfait		Plus-que-parfait		
j'	envoyais	j'	avais	envoyé
tu	envoyais	tu	avais	envoyé
il	envoyait	il	avait	envoyé
nous	envoyions	nous	avions	envoyé
vous	envoyiez	vous	aviez	envoyé
ils	envoyaient	ils	avaient	envoyé

Passé simple		Passé antérieur		
j'	envoyai	j'	eus	envoyé
tu	envoyas	tu	eus	envoyé
il	envoya	il	eut	envoyé
nous	cnvoyâmes	nous	eûmes	envoyé
vous	envoyâtes	vous	eûtes	envoyé
ils	envoyèrent	ils	eurent	envoyé

Futur simple		Futur antérieur		
j'	enverrai	j'	aurai	envoyé
tu	enverras	tu	auras	envoyé
il	enverra	il	aura	envoyé
nous	enverrons	nous	aurons	envoyé
vous	enverrez	vous	aurez	envoyé
ils	enverront	ils	auront	envoyé

Conditionnel présent		Conditionnel passé		
j'	enverrais	j'	aurais	envoyé
tu	enverrais	tu	aurais	envoyé
il	enverrait	il	aurait	envoyé
nous	enverrions	nous	aurions	envoyé
vous	enverriez	vous	auriez	envoyé
ils	enverraient	ils	auraient	envoyé

Subjonctif

Présent *il faut...*			Passé *il faut...*			
que	j'	envoie	que	j'	aie	envoyé
que	tu	envoies	que	tu	aies	envoyé
qu'	il	envoie	qu'	il	ait	envoyé
que	nous	envoyions	que	nous	ayons	envoyé
que	vous	envoyiez	que	vous	ayez	envoyé
qu'	ils	envoient	qu'	ils	aient	envoyé

Imparfait *il fallait...*			Plus-que-parfait *il fallait...*			
que	j'	envoyasse	que	j'	eusse	envoyé
que	tu	envoyasses	que	tu	eusses	envoyé
qu'	il	envoyât	qu'	il	eût	envoyé
que	nous	envoyassions	que	nous	eussions	envoyé
que	vous	envoyassiez	que	vous	eussiez	envoyé
qu'	ils	envoyassent	qu'	ils	eussent	envoyé

Impératif

Présent	Passé	
envoie	aie	envoyé
envoyons	ayons	envoyé
envoyez	ayez	envoyé

Infinitif

Présent	Passé	
envoyer	avoir	envoyé

Participe

Présent	Passé	
envoyant	envoyé, ée, és, ées	
	ayant	envoyé

appuyer 39

▷ Le « y » du radical devient « i » devant un *e* muet.

▷ On conserve les terminaisons *-ions* et *-iez* malgré la prononciation du « y ».

Indicatif

Présent		Passé composé		
j'	appuie	j'	ai	appuyé
tu	appuies	tu	as	appuyé
elle	appuie	elle	a	appuyé
nous	appuyons	nous	avons	appuyé
vous	appuyez	vous	avez	appuyé
elles	appuient	elles	ont	appuyé

Imparfait		Plus-que-parfait		
j'	appuyais	j'	avais	appuyé
tu	appuyais	tu	avais	appuyé
elle	appuyait	elle	avait	appuyé
nous	appuyions	nous	avions	appuyé
vous	appuyiez	vous	aviez	appuyé
elles	appuyaient	elles	avaient	appuyé

Passé simple		Passé antérieur		
j'	appuyai	j'	eus	appuyé
tu	appuyas	tu	eus	appuyé
elle	appuya	elle	eut	appuyé
nous	appuyâmes	nous	eûmes	appuyé
vous	appuyâtes	vous	eûtes	appuyé
elles	appuyèrent	elles	eurent	appuyé

Futur simple		Futur antérieur		
j'	appuierai	j'	aurai	appuyé
tu	appuieras	tu	auras	appuyé
elle	appuiera	elle	aura	appuyé
nous	appuierons	nous	aurons	appuyé
vous	appuierez	vous	aurez	appuyé
elles	appuieront	elles	auront	appuyé

Conditionnel présent		Conditionnel passé		
j'	appuierais	j'	aurais	appuyé
tu	appuierais	tu	aurais	appuyé
elle	appuierait	elle	aurait	appuyé
nous	appuierions	nous	aurions	appuyé
vous	appuieriez	vous	auriez	appuyé
elles	appuieraient	elles	auraient	appuyé

Subjonctif

Présent *il faut...*			Passé *il faut...*			
que	j'	appuie	que	j'	aie	appuyé
que	tu	appuies	que	tu	aies	appuyé
qu'	elle	appuie	qu'	elle	ait	appuyé
que	nous	appuyions	que	nous	ayons	appuyé
que	vous	appuyiez	que	vous	ayez	appuyé
qu'	elles	appuient	qu'	elles	aient	appuyé

Imparfait *il fallait...*			Plus-que-parfait *il fallait...*			
que	j'	appuyasse	que	j'	eusse	appuyé
que	tu	appuyasses	que	tu	eusses	appuyé
qu'	elle	appuyât	qu'	elle	eût	appuyé
que	nous	appuyassions	que	nous	eussions	appuyé
que	vous	appuyassiez	que	vous	eussiez	appuyé
qu'	elles	appuyassent	qu'	elles	eussent	appuyé

Impératif

Présent	Passé	
appuie	aie	appuyé
appuyons	ayons	appuyé
appuyez	ayez	appuyé

Infinitif

Présent	Passé	
appuyer	avoir	appuyé

Participe

Présent	Passé	
appuyant	appuyé, ée, és, ées	
	ayant	appuyé

aller ÊTRE

Aller est le seul verbe irrégulier se terminant par *-er.* On ne le conjugue pas selon le modèle du verbe *aimer.*

Indicatif

Présent		Passé composé		
je	vais	je	suis	allé, ée
tu	vas	tu	es	allé, ée
il, elle	va	il, elle	est	allé, ée
nous	allons	nous	sommes	allés, ées
vous	allez	vous	êtes	allés, ées
ils, elles	vont	ils, elles	sont	allés, ées

Imparfait		Plus-que-parfait		
j'	allais	j'	étais	allé, ée
tu	allais	tu	étais	allé, ée
il, elle	allait	il, elle	était	allé, ée
nous	allions	nous	étions	allés, ées
vous	alliez	vous	étiez	allés, ées
ils, elles	allaient	ils, elles	étaient	allés, ées

Passé simple		Passé antérieur		
j'	allai	je	fus	allé, ée
tu	allas	tu	fus	allé, ée
il, elle	alla	il, elle	fut	allé, ée
nous	allâmes	nous	fûmes	allés, ées
vous	allâtes	vous	fûtes	allés, ées
ils, elles	allèrent	ils, elles	furent	allés, ées

Futur simple		Futur antérieur		
j'	irai	je	serai	allé, ée
tu	iras	tu	seras	allé, ée
il, elle	ira	il, elle	sera	allé, ée
nous	irons	nous	serons	allés, ées
vous	irez	vous	serez	allés, ées
ils, elles	iront	ils, elles	seront	allés, ées

Conditionnel présent		Conditionnel passé		
j'	irais	je	serais	allé, ée
tu	irais	tu	serais	allé, ée
il, elle	irait	il, elle	serait	allé, ée
nous	irions	nous	serions	allés, ées
vous	iriez	vous	seriez	allés, ées
ils, elles	iraient	ils, elles	seraient	allés, ées

Subjonctif

Présent *il faut...*			Passé *il faut...*			
que	j'	aille	que	je	sois	allé, ée
que	tu	ailles	que	tu	sois	allé, ée
qu'	il, elle	aille	qu'	il, elle	soit	allé, ée
que	nous	allions	que	nous	soyons	allés, ées
que	vous	alliez	que	vous	soyez	allés, ées
qu'	ils, elles	aillent	qu'	ils, elles	soient	allés, ées

Imparfait *il fallait...*			Plus-que-parfait *il fallait...*			
que	j'	allasse	que	je	fusse	allé, ée
que	tu	allasses	que	tu	fusses	allé, ée
qu'	il, elle	allât	qu'	il, elle	fût	allé, ée
que	nous	allassions	que	nous	fussions	allés, ées
que	vous	allassiez	que	vous	fussiez	allés, ées
qu'	ils, elles	allassent	qu'	ils, elles	fussent	allés, ées

Impératif

Présent	Passé	
va	sois	allé, ée
allons	soyons	allés, ées
allez	soyez	allés, ées

Infinitif

Présent	Passé	
aller	être	allé, ée, és, ées

Participe

Présent	Passé	
allant	allé, ée, és, ées	
	étant	allé, ée, és, ées

s'en aller 41

Dans la forme pronominale du verbe *s'en aller*, on place toujours l'adverbe ***en*** entre le 2e pronom et le verbe conjugué : *je m'****en*** *vais, nous nous* ***en*** *sommes allés, elle s'****en*** *serait allée.*

Indicatif

Présent

je	m'en	vais
tu	t'en	vas
il, elle	s'en	va
nous	nous en	allons
vous	vous en	allez
ils, elles	s'en	vont

Passé composé

je	m'en	suis	allé, ée
tu	t'en	es	allé, ée
il, elle	s'en	est	allé, ée
nous	nous en	sommes	allés, ées
vous	vous en	êtes	allés, ées
ils, elles	s'en	sont	allés, ées

Imparfait

je	m'en	allais
tu	t'en	allais
il, elle	s'en	allait
nous	nous en	allions
vous	vous en	alliez
ils, elles	s'en	allaient

Plus-que-parfait

je	m'en	étais	allé, ée
tu	t'en	étais	allé, ée
il, elle	s'en	était	allé, ée
nous	nous en	étions	allés, ées
vous	vous en	étiez	allés, ées
ils, elles	s'en	étaient	allés, ées

Passé simple

je	m'en	allai
tu	t'en	allas
il, elle	s'en	alla
nous	nous en	allâmes
vous	vous en	allâtes
ils, elles	s'en	allèrent

Passé antérieur

je	m'en	fus	allé, ée
tu	t'en	fus	allé, ée
il, elle	s'en	fut	allé, ée
nous	nous en	fûmes	allés, ées
vous	vous en	fûtes	allés, ées
ils, elles	s'en	furent	allés, ées

Futur simple

je	m'en	irai
tu	t'en	iras
il, elle	s'en	ira
nous	nous en	irons
vous	vous en	irez
ils, elles	s'en	iront

Futur antérieur

je	m'en	serai	allé, ée
tu	t'en	seras	allé, ée
il, elle	s'en	sera	allé, ée
nous	nous en	serons	allés, ées
vous	vous en	serez	allés, ées
ils, elles	s'en	seront	allés, ées

Conditionnel présent

je	m'en	irais
tu	t'en	irais
il, elle	s'en	irait
nous	nous en	irions
vous	vous en	iriez
ils, elles	s'en	iraient

Conditionnel passé

je	m'en	serais	allé, ée
tu	t'en	serais	allé, ée
il, elle	s'en	serait	allé, ée
nous	nous en	serions	allés, ées
vous	vous en	seriez	allés, ées
ils, elles	s'en	seraient	allés, ées

Subjonctif

Présent

il faut…

que	je	m'en	aille
que	tu	t'en	ailles
qu'	il, elle	s'en	aille
que	nous	nous en	allions
que	vous	vous en	alliez
qu'	ils, elles	s'en	aillent

Passé

il faut…

que	je	m'en	sois	allé, ée
que	tu	t'en	sois	allé, ée
qu'	il, elle	s'en	soit	allé, ée
que	nous	nous en	soyons	allés, ées
que	vous	vous en	soyez	allés, ées
qu'	ils, elles	s'en	soient	allés, ées

Imparfait

il fallait…

que	je	m'en	allasse
que	tu	t'en	allasses
qu'	il, elle	s'en	allât
que	nous	nous en	allassions
que	vous	vous en	allassiez
qu'	ils, elles	s'en	allassent

Plus-que-parfait

il fallait…

que	je	m'en	fusse	allé, ée
que	tu	t'en	fusses	allé, ée
qu'	il, elle	s'en	fût	allé, ée
que	nous	nous en	fussions	allés, ées
que	vous	vous en	fussiez	allés, ées
qu'	ils, elles	s'en	fussent	allés, ées

Impératif

Présent	Passé
va-t-en	–
allons-nous-en	–
allez-vous-en	–

Infinitif

Présent	Passé
s'en aller	s'en être allé, ée, és, ées

Participe

Présent	Passé
s'en allant	allé, ée, és, ées
	étant allé, ée, és, ées

Tableau des particularités des verbes en *-ir/-issant*

VERBE MODÈLE	CARACTÉRISTIQUE	PARTICULARITÉ ORTHOGRAPHIQUE OU DIFFICULTÉ	AUTRES VERBES
43 finir	Verbe modèle de base	–	**240 occurrences** Verbes en *-ir/-issant* sans particularité orthographique
44 maigrir	Verbes en *-rir*	▷ permanence du **r**	**32 occurrences** *amerrir, assombrir, attendrir, atterrir, chérir, fleurir, guérir, mûrir, nourrir, pourrir*, etc.
45 choisir	Verbes en *-sir*	▷ permanence du **s**	**7 occurrences** *dessaisir, moisir, ressaisir, rosir, saisir*, et *transir*
46 réussir	Verbes en *-ssir*	▷ permanence des **ss**	**8 occurrences** *dégrossir, désépaissir, épaissir, grossir, rassir, regrossir* et *roussir*
47 noircir	Verbes en *-cir*	▷ permanence du **c**	**18 occurrences** *amincir, durcir, éclaicir, farcir, mincir, rétrécir*, etc.
48 haïr	Verbes en *-haïr*	▷ alternance **ï, i** permanence du **ï**	**2 occurrences** *s'entre(-)haïr*

finir 43

Les verbes se terminant par -*ir* avec un participe présent en -*issant* présentent les mêmes terminaisons que le verbe modèle *finir*.

La 1re personne du pluriel du présent de l'indicatif se termine par -*issons*.

Indicatif

Présent		Passé composé		
je	finis	j'	ai	fini
tu	finis	tu	as	fini
elle	finit	elle	a	fini
nous	finissons	nous	avons	fini
vous	finissez	vous	avez	fini
elles	finissent	elles	ont	fini

Imparfait		Plus-que-parfait		
je	finissais	j'	avais	fini
tu	finissais	tu	avais	fini
elle	finissait	elle	avait	fini
nous	finissions	nous	avions	fini
vous	finissiez	vous	aviez	fini
elles	finissaient	elles	avaient	fini

Passé simple		Passé antérieur		
je	finis	j'	eus	fini
tu	finis	tu	eus	fini
elle	finit	elle	eut	fini
nous	finîmes	nous	eûmes	fini
vous	finîtes	vous	eûtes	fini
elles	finirent	elles	eurent	fini

Futur simple		Futur antérieur		
je	finirai	j'	aurai	fini
tu	finiras	tu	auras	fini
elle	finira	elle	aura	fini
nous	finirons	nous	aurons	fini
vous	finirez	vous	aurez	fini
elles	finiront	elles	auront	fini

Conditionnel présent		Conditionnel passé		
je	finirais	j'	aurais	fini
tu	finirais	tu	aurais	fini
elle	finirait	elle	aurait	fini
nous	finirions	nous	aurions	fini
vous	finiriez	vous	auriez	fini
elles	finiraient	elles	auraient	fini

Subjonctif

Présent *il faut...*			Passé *il faut...*			
que	je	finisse	que	j'	aie	fini
que	tu	finisses	que	tu	aies	fini
qu'	elle	finisse	qu'	elle	ait	fini
que	nous	finissions	que	nous	ayons	fini
que	vous	finissiez	que	vous	ayez	fini
qu'	elles	finissent	qu'	elles	aient	fini

Imparfait *il fallait...*			Plus-que-parfait *il fallait...*			
que	je	finisse	que	j'	eusse	fini
que	tu	finisses	que	tu	eusses	fini
qu'	elle	finît	qu'	elle	eût	fini
que	nous	finissions	que	nous	eussions	fini
que	vous	finissiez	que	vous	eussiez	fini
qu'	elles	finissent	qu'	elles	eussent	fini

Impératif

Présent	Passé	
finis	aie	fini
finissons	ayons	fini
finissez	ayez	fini

Infinitif

Présent	Passé	
finir	avoir	fini

Participe

Présent	Passé	
finissant	fini, ie, is, ies	
	ayant	fini

44 maigrir

▷ Ne pas confondre le « r » du radical et celui de la terminaison.

Indicatif

Présent		Passé composé		
je	maigris	j'	ai	maigri
tu	maigris	tu	as	maigri
il	maigrit	il	a	maigri
nous	maigrissons	nous	avons	maigri
vous	maigrissez	vous	avez	maigri
ils	maigrissent	ils	ont	maigri

Imparfait		Plus-que-parfait		
je	maigrissais	j'	avais	maigri
tu	maigrissais	tu	avais	maigri
il	maigrissait	il	avait	maigri
nous	maigrissions	nous	avions	maigri
vous	maigrissiez	vous	aviez	maigri
ils	maigrissaient	ils	avaient	maigri

Passé simple		Passé antérieur		
je	maigris	j'	eus	maigri
tu	maigris	tu	eus	maigri
il	maigrit	il	eut	maigri
nous	maigrîmes	nous	eûmes	maigri
vous	maigrîtes	vous	eûtes	maigri
ils	maigrirent	ils	eurent	maigri

Futur simple		Futur antérieur		
je	maigrirai	j'	aurai	maigri
tu	maigriras	tu	auras	maigri
il	maigrira	il	aura	maigri
nous	maigrirons	nous	aurons	maigri
vous	maigrirez	vous	aurez	maigri
ils	maigriront	ils	auront	maigri

Conditionnel présent		Conditionnel passé		
je	maigrirais	j'	aurais	maigri
tu	maigrirais	tu	aurais	maigri
il	maigrirait	il	aurait	maigri
nous	maigririons	nous	aurions	maigri
vous	maigririez	vous	auriez	maigri
ils	maigriraient	ils	auraient	maigri

Subjonctif

Présent *il faut...*			Passé *il faut...*			
que	je	maigrisse	que	j'	aie	maigri
que	tu	maigrisses	que	tu	aies	maigri
qu'	il	maigrisse	qu'	il	ait	maigri
que	nous	maigrissions	que	nous	ayons	maigri
que	vous	maigrissiez	que	vous	ayez	maigri
qu'	ils	maigrissent	qu'	ils	aient	maigri

Imparfait *il fallait...*			Plus-que-parfait *il fallait...*			
que	je	maigrisse	que	j'	eusse	maigri
que	tu	maigrisses	que	tu	eusses	maigri
qu'	il	maigrît	qu'	il	eût	maigri
que	nous	maigrissions	que	nous	eussions	maigri
que	vous	maigrissiez	que	vous	eussiez	maigri
qu'	ils	maigrissent	qu'	ils	eussent	maigri

Impératif

Présent	Passé	
maigris	aie	maigri
maigrissons	ayons	maigri
maigrissez	ayez	maigri

Infinitif

Présent	Passé	
maigrir	avoir	maigri

Participe

Présent	Passé
maigrissant	maigri (*invariable*)
	ayant maigri

choisir 45

▷ Ne pas confondre le « s » du radical et ceux de la terminaison.

Indicatif

Présent		Passé composé		
je	choisis	j'	ai	choisi
tu	choisis	tu	as	choisi
elle	choisit	elle	a	choisi
nous	choisissons	nous	avons	choisi
vous	choisissez	vous	avez	choisi
elles	choisissent	elles	ont	choisi

Imparfait		Plus-que-parfait		
je	choisissais	j'	avais	choisi
tu	choisissais	tu	avais	choisi
elle	choisissait	elle	avait	choisi
nous	choisissions	nous	avions	choisi
vous	choisissiez	vous	aviez	choisi
elles	choisissaient	elles	avaient	choisi

Passé simple		Passé antérieur		
je	choisis	j'	eus	choisi
tu	choisis	tu	eus	choisi
elle	choisit	elle	eut	choisi
nous	choisîmes	nous	eûmes	choisi
vous	choisîtes	vous	eûtes	choisi
elles	choisirent	elles	eurent	choisi

Futur simple		Futur antérieur		
je	choisirai	j'	aurai	choisi
tu	choisiras	tu	auras	choisi
elle	choisira	elle	aura	choisi
nous	choisirons	nous	aurons	choisi
vous	choisirez	vous	aurez	choisi
elles	choisiront	elles	auront	choisi

Conditionnel présent		Conditionnel passé		
je	choisirais	j'	aurais	choisi
tu	choisirais	tu	aurais	choisi
elle	choisirait	elle	aurait	choisi
nous	choisirions	nous	aurions	choisi
vous	choisiriez	vous	auriez	choisi
elles	choisiraient	elles	auraient	choisi

Subjonctif

Présent *il faut...*			Passé *il faut...*			
que	je	choisisse	que	j'	aie	choisi
que	tu	choisisses	que	tu	aies	choisi
qu'	elle	choisisse	qu'	elle	ait	choisi
que	nous	choisissions	que	nous	ayons	choisi
que	vous	choisissiez	que	vous	ayez	choisi
qu'	elles	choisissent	qu'	elles	aient	choisi

Imparfait *il fallait...*			Plus-que-parfait *il fallait...*			
que	je	choisisse	que	j'	eusse	choisi
que	tu	choisisses	que	tu	eusses	choisi
qu'	elle	choisît	qu'	elle	eût	choisi
que	nous	choisissions	que	nous	eussions	choisi
que	vous	choisissiez	que	vous	eussiez	choisi
qu'	elles	choisissent	qu'	elles	eussent	choisi

Impératif

Présent	Passé	
choisis	aie	choisi
choisissons	ayons	choisi
choisissez	ayez	choisi

Infinitif

Présent	Passé	
choisir	avoir	choisi

Participe

Présent	Passé
choisissant	choisi, ie, is, ies
	ayant choisi

46 réussir

▷ Ne pas confondre les « ss » du radical et ceux de la terminaison.

Indicatif

Présent		Passé composé		
je	réussis	j'	ai	réussi
tu	réussis	tu	as	réussi
il	réussit	il	a	réussi
nous	réussissons	nous	avons	réussi
vous	réussissez	vous	avez	réussi
ils	réussissent	ils	ont	réussi

Imparfait		Plus-que-parfait		
je	réussissais	j'	avais	réussi
tu	réussissais	tu	avais	réussi
il	réussissait	il	avait	réussi
nous	réussissions	nous	avions	réussi
vous	réussissiez	vous	aviez	réussi
ils	réussissaient	ils	avaient	réussi

Passé simple		Passé antérieur		
je	réussis	j'	eus	réussi
tu	réussis	tu	eus	réussi
il	réussit	il	eut	réussi
nous	réussîmes	nous	eûmes	réussi
vous	réussîtes	vous	eûtes	réussi
ils	réussirent	ils	eurent	réussi

Futur simple		Futur antérieur		
je	réussirai	j'	aurai	réussi
tu	réussiras	tu	auras	réussi
il	réussira	il	aura	réussi
nous	réussirons	nous	aurons	réussi
vous	réussirez	vous	aurez	réussi
ils	réussiront	ils	auront	réussi

Conditionnel présent		Conditionnel passé		
je	réussirais	j'	aurais	réussi
tu	réussirais	tu	aurais	réussi
il	réussirait	il	aurait	réussi
nous	réussirions	nous	aurions	réussi
vous	réussiriez	vous	auriez	réussi
ils	réussiraient	ils	auraient	réussi

Subjonctif

Présent *il faut...*			Passé *il faut...*			
que	je	réussisse	que	j'	aie	réussi
que	tu	réussisses	que	tu	aies	réussi
qu'	il	réussisse	qu'	il	ait	réussi
que	nous	réussissions	que	nous	ayons	réussi
que	vous	réussissiez	que	vous	ayez	réussi
qu'	ils	réussissent	qu'	ils	aient	réussi

Imparfait *il fallait...*			Plus-que-parfait *il fallait...*			
que	je	réussisse	que	j'	eusse	réussi
que	tu	réussisses	que	tu	eusses	réussi
qu'	il	réussît	qu'	il	eût	réussi
que	nous	réussissions	que	nous	eussions	réussi
que	vous	réussissiez	que	vous	eussiez	réussi
qu'	ils	réussissent	qu'	ils	eussent	réussi

Impératif

Présent	Passé	
réussis	aie	réussi
réussissons	ayons	réussi
réussissez	ayez	réussi

Infinitif

Présent	Passé	
réussir	avoir	réussi

Participe

Présent	Passé	
réussissant	réussi, ie, is, ies	
	ayant	réussi

noircir 47

▷ Ne pas confondre le « c » du radical et les « ss » de la terminaison. Le « c » du radical ne prend jamais de cédille puisqu'il est toujours suivi d'un *i*.

Indicatif

Présent

je	noircis
tu	noircis
elle	noircit
nous	noircissons
vous	noircissez
elles	noircissent

Passé composé

j'	ai	noirci
tu	as	noirci
elle	a	noirci
nous	avons	noirci
vous	avez	noirci
elles	ont	noirci

Imparfait

je	noircissais
tu	noircissais
elle	noircissait
nous	noircissions
vous	noircissiez
elles	noircissaient

Plus-que-parfait

j'	avais	noirci
tu	avais	noirci
elle	avait	noirci
nous	avions	noirci
vous	aviez	noirci
elles	avaient	noirci

Passé simple

je	noircis
tu	noircis
elle	noircit
nous	noircîmes
vous	noircîtes
elles	noircirent

Passé antérieur

j'	eus	noirci
tu	eus	noirci
elle	eut	noirci
nous	eûmes	noirci
vous	eûtes	noirci
elles	eurent	noirci

Futur simple

je	noircirai
tu	noirciras
elle	noircira
nous	noircirons
vous	noircirez
elles	noirciront

Futur antérieur

j'	aurai	noirci
tu	auras	noirci
elle	aura	noirci
nous	aurons	noirci
vous	aurez	noirci
elles	auront	noirci

Conditionnel présent

je	noircirais
tu	noircirais
elle	noircirait
nous	noircirions
vous	noirciriez
elles	noirciraient

Conditionnel passé

j'	aurais	noirci
tu	aurais	noirci
elle	aurait	noirci
nous	aurions	noirci
vous	auriez	noirci
elles	auraient	noirci

Subjonctif

Présent
il faut...

que	je	noircisse
que	tu	noircisses
qu'	elle	noircisse
que	nous	noircissions
que	vous	noircissiez
qu'	elles	noircissent

Passé
il faut...

que	j'	aie	noirci
que	tu	aies	noirci
qu'	elle	ait	noirci
que	nous	ayons	noirci
que	vous	ayez	noirci
qu'	elles	aient	noirci

Imparfait
il fallait...

que	je	noircisse
que	tu	noircisses
qu'	elle	noircît
que	nous	noircissions
que	vous	noircissiez
qu'	elles	noircissent

Plus-que-parfait
il fallait...

que	j'	eusse	noirci
que	tu	eusses	noirci
qu'	elle	eût	noirci
que	nous	eussions	noirci
que	vous	eussiez	noirci
qu'	elles	eussent	noirci

Impératif

Présent

noircis
noircissons
noircissez

Passé

aie	noirci
ayons	noirci
ayez	noirci

Infinitif

Présent

noircir

Passé

avoir noirci

Participe

Présent

noircissant

Passé

noirci, ie, is, ies
ayant noirci

haïr

▷ Au singulier du présent de l'indicatif et de l'impératif, le « ï » devient « i ».
Ainsi, *hais* et *hait* se prononcent [è].
On conserve le « ï » partout ailleurs dans la conjugaison.

Indicatif

Présent		Passé composé		
je	hais	j'	ai	haï
tu	hais	tu	as	haï
il	hait	il	a	haï
nous	haïssons	nous	avons	haï
vous	haïssez	vous	avez	haï
ils	haïssent	ils	ont	haï

Imparfait		Plus-que-parfait		
je	haïssais	j'	avais	haï
tu	haïssais	tu	avais	haï
il	haïssait	il	avait	haï
nous	haïssions	nous	avions	haï
vous	haïssiez	vous	aviez	haï
ils	haïssaient	ils	avaient	haï

Passé simple		Passé antérieur		
je	haïs	j'	eus	haï
tu	haïs	tu	eus	haï
il	haït	il	eut	haï
nous	haïmes	nous	eûmes	haï
vous	haïtes	vous	eûtes	haï
ils	haïrent	ils	eurent	haï

Futur simple		Futur antérieur		
je	haïrai	j'	aurai	haï
tu	haïras	tu	auras	haï
il	haïra	il	aura	haï
nous	haïrons	nous	aurons	haï
vous	haïrez	vous	aurez	haï
ils	haïront	ils	auront	haï

Conditionnel présent		Conditionnel passé		
je	haïrais	j'	aurais	haï
tu	haïrais	tu	aurais	haï
il	haïrait	il	aurait	haï
nous	haïrions	nous	aurions	haï
vous	haïriez	vous	auriez	haï
ils	haïraient	ils	auraient	haï

Subjonctif

Présent *il faut...*			Passé *il faut...*			
que	je	haïsse	que	j'	aie	haï
que	tu	haïsses	que	tu	aies	haï
qu'	il	haïsse	qu'	il	ait	haï
que	nous	haïssions	que	nous	ayons	haï
que	vous	haïssiez	que	vous	ayez	haï
qu'	ils	haïssent	qu'	ils	aient	haï

Imparfait *il fallait...*			Plus-que-parfait *il fallait...*			
que	je	haïsse	que	j'	eusse	haï
que	tu	haïsses	que	tu	eusses	haï
qu'	il	haït	qu'	il	eût	haï
que	nous	haïssions	que	nous	eussions	haï
que	vous	haïssiez	que	vous	eussiez	haï
qu'	ils	haïssent	qu'	ils	eussent	haï

Impératif

Présent	Passé	
hais	aie	haï
haïssons	ayons	haï
haïssez	ayez	haï

Infinitif

Présent	Passé	
haïr	avoir	haï

Participe

Présent	Passé	
haïssant	haï, ïe, ïs, ïes	
	ayant	haï

Tableau des irrégularités des verbes en *-ir*

VERBE MODÈLE	CARACTÉRISTIQUE	PARTICULARITÉ ORTHOGRAPHIQUE OU DIFFICULTÉ	AUTRES VERBES
51 bouillir	P. passé : *boulli, ie* **2 radicaux :** *bou-, bouill-* *je bous,* *nous bouillons*	▷ **ll** suivi de **i**	**1 occurrence**
52 dormir	Verbes en *-dormir* P. passé : *-dormi, ie* **2 radicaux :** *-dor-, -dorm-* *je dors,* *nous dormons*	–	**3 occurrences** *endormir* et *rendormir*
53 sentir	Verbes en *-entir* P. passé : *-enti, ie* **2 radicaux :** *-en-, -ent-* *je sens,* *nous sentons*	–	**7 occurrences** *consentir, démentir, mentir, pressentir, se repentir* et *ressentir*
54 servir	Verbes en *-servir* P. passé : *-servi, ie* **2 radicaux :** *-ser-, -serv-* *je sers, nous servons*	–	**4 occurrences** *chauvir, desservir* et *resservir*
55 partir ÊTRE	Verbes en *-partir,* sauf *répartir* P. passé : *-parti, ie* **2 radicaux :** *-par-, -part-* *je pars, nous partons*	–	**3 occurrences** *départir* et *repartir*
56 sortir A/E	Verbes en *-sortir* P. passé : *-sorti, ie* **2 radicaux :** *-sor-, -sort-* *je sors, nous sortons*	–	**2 occurrences** *ressortir*
57 fuir	Verbes en *-fuir* P. passé : *-fui, fuie*	▷ alternance **y, i** ▷ **y** suivi de **i**	**2 occurrences** *s'enfuir*
58 acquérir	Verbes en *-quérir* P. passé : *-quis, quise* **5 radicaux :** *-quier-, -quér-, -quièr-, -qu-, -quer-* *j'acquiers, nous acquérons, ils, elles acquièrent, j'acquis, j'acquerrai*	▷ doublement du **r**	**5 occurrences** *conquérir, s'enquérir, reconquérir* et *requérir*
59 courir	Verbes en *-courir* P. passé : *-couru, ue*	▷ doublement du **r**	**8 occurrences** *accourir, concourir, discourir, encourir, parcourir, recourir* et *secourir*

VERBE MODÈLE	CARACTÉRISTIQUE	PARTICULARITÉ ORTHOGRAPHIQUE OU DIFFICULTÉ	AUTRES VERBES
60 mourir ÊTRE	P. passé: *mort, morte* **3 radicaux:** *meur-, mour-, mor-* *je meurs, nous mourons, mort*	▷ doublement du **r**	**1 occurrence**
61 vêtir	Verbes en *-vêtir* P. passé: *-vêtu, ue*	–	**3 occurrences** *dévêtir* et *revêtir*
62 venir ÊTRE	Verbes en *-venir* avec ÊTRE P. passé: *-venu, ue* **5 radicaux:** *-vien-, -ven-, -vienn-, v-, -viend-* *je viens, nous venons, ils, elles viennent, je vins, je viendrai*	terminaisons en *-ins, -int,* etc.	**12 occurrences** *advenir, devenir, intervenir, obvenir, parvenir, provenir, redevenir, revenir, se ressouvenir, se souvenir* et *survenir*
63 tenir	Verbes en *-tenir* et en *-venir* P. passé: *-tenu, ue* **5 radicaux:** *-tien-, -ten-, -tienn-, -t-, -tiend-* *je tiens, nous tenons, ils, elles tiennent, je tins, je tiendrai*	terminaisons en *-ins, -int,* etc.	**16 occurrences** *appartenir, circonvenir, contenir, contrevenir, convenir, détenir, disconvenir, entretenir, maintenir, obtenir, prévenir, retenir, s'abstenir, soutenir* et *subvenir*
64 cueillir	Verbes en *-cueillir* P. passé: *-cueilli, ie*	▷ terminaisons commençant par **e** au futur simple et au conditionnel présent ▷ **ll** suivi de **i**	**3 occurrences** *accueillir* et *recueillir*
65 offrir	Verbes en *-ffrir* P. passé: *-ffert, -fferte* **3 radicaux:** *-ffr-, -ffri-, -ff-* *j'offre, j'offrirai, offert*	–	**2 occurrences** *souffrir*
66 ouvrir	Verbes en *-ouvrir* P. passé: *-ouvert, -ouverte* **3 radicaux:** *-ouvr-, -ouvri-, -ouv-* *j'ouvre, j'ouvrirai ouvert*	–	**7 occurrences** *couvrir, découvrir, entrouvrir, recouvrir, redécouvrir* et *rouvrir*
67 assaillir	Verbes en *-aillir* P. passé: *-ailli, ie* **2 radicaux:** *-aill-, -ailli-* *j'assaille, j'assaillirai*	▷ **ll** suivi de **i**	**4 occurrences** *défaillir, faillir* et *saillir*
68 gésir *Défectif* *	Pas de p. passé	▷ alternance **i, î**	**1 occurrence**

* Les verbes défectifs ne se conjuguent pas à tous les modes ni à tous les temps (consulter le tableau).

bouillir 51

▷ On conserve les terminaisons *-ions* et *-iez* malgré la prononciation du « ill ».

Indicatif

Présent		Passé composé		
je	bous	j'	ai	bouilli
tu	bous	tu	as	bouilli
elle	bout	elle	a	bouilli
nous	bouill**ons**	nous	avons	bouilli
vous	bouill**ez**	vous	avez	bouilli
elles	bouill**ent**	elles	ont	bouilli

Imparfait		Plus-que-parfait		
je	bouill**ais**	j'	avais	bouilli
tu	bouill**ais**	tu	avais	bouilli
elle	bouill**ait**	elle	avait	bouilli
nous	bouill**ions**	nous	avions	bouilli
vous	bouill**iez**	vous	aviez	bouilli
elles	bouill**aient**	elles	avaient	bouilli

Passé simple		Passé antérieur		
je	bouill**is**	j'	eus	bouilli
tu	bouill**is**	tu	eus	bouilli
elle	bouill**it**	elle	eut	bouilli
nous	bouill**îmes**	nous	eûmes	bouilli
vous	bouill**îtes**	vous	eûtes	bouilli
elles	bouill**irent**	elles	eurent	bouilli

Futur simple		Futur antérieur		
je	bouill**irai**	j'	aurai	bouilli
tu	bouill**iras**	tu	auras	bouilli
elle	bouill**ira**	elle	aura	bouilli
nous	bouill**irons**	nous	aurons	bouilli
vous	bouill**irez**	vous	aurez	bouilli
elles	bouill**iront**	elles	auront	bouilli

Conditionnel présent		Conditionnel passé		
je	bouill**irais**	j'	aurais	bouilli
tu	bouill**irais**	tu	aurais	bouilli
elle	bouill**irait**	elle	aurait	bouilli
nous	bouill**irions**	nous	aurions	bouilli
vous	bouill**iriez**	vous	auriez	bouilli
elles	bouill**iraient**	elles	auraient	bouilli

Subjonctif

Présent *il faut...*			Passé *il faut...*			
que	je	bouill**e**	que	j'	aie	bouilli
que	tu	bouill**es**	que	tu	aies	bouilli
qu'	elle	bouill**e**	qu'	elle	ait	bouilli
que	nous	bouill**ions**	que	nous	ayons	bouilli
que	vous	bouill**iez**	que	vous	ayez	bouilli
qu'	elles	bouill**ent**	qu'	elles	aient	bouilli

Imparfait *il fallait...*			Plus-que-parfait *il fallait...*			
que	je	bouill**isse**	que	j'	eusse	bouilli
que	tu	bouill**isses**	que	tu	eusses	bouilli
qu'	elle	bouill**ît**	qu'	elle	eût	bouilli
que	nous	bouill**issions**	que	nous	eussions	bouilli
que	vous	bouill**issiez**	que	vous	eussiez	bouilli
qu'	elles	bouill**issent**	qu'	elles	eussent	bouilli

Impératif

Présent	Passé	
bous	aie	bouilli
bouill**ons**	ayons	bouilli
bouill**ez**	ayez	bouilli

Infinitif

Présent	Passé	
bouill**ir**	avoir	bouilli

Participe

Présent	Passé	
bouill**ant**	bouill**i, ie, is, ies**	
	ayant	bouilli

52 dormir

Les verbes *endormir* et *rendormir* se conjuguent selon ce modèle. Leurs participes passés sont variables.

Indicatif

Présent		Passé composé		
je	dors	j'	ai	dormi
tu	dors	tu	as	dormi
il	dort	il	a	dormi
nous	dormons	nous	avons	dormi
vous	dormez	vous	avez	dormi
ils	dorment	ils	ont	dormi

Imparfait		Plus-que-parfait		
je	dormais	j'	avais	dormi
tu	dormais	tu	avais	dormi
il	dormait	il	avait	dormi
nous	dormions	nous	avions	dormi
vous	dormiez	vous	aviez	dormi
ils	dormaient	ils	avaient	dormi

Passé simple		Passé antérieur		
je	dormis	j'	eus	dormi
tu	dormis	tu	eus	dormi
il	dormit	il	eut	dormi
nous	dormîmes	nous	eûmes	dormi
vous	dormîtes	vous	eûtes	dormi
ils	dormirent	ils	eurent	dormi

Futur simple		Futur antérieur		
je	dormirai	j'	aurai	dormi
tu	dormiras	tu	auras	dormi
il	dormira	il	aura	dormi
nous	dormirons	nous	aurons	dormi
vous	dormirez	vous	aurez	dormi
ils	dormiront	ils	auront	dormi

Conditionnel présent		Conditionnel passé		
je	dormirais	j'	aurais	dormi
tu	dormirais	tu	aurais	dormi
il	dormirait	il	aurait	dormi
nous	dormirions	nous	aurions	dormi
vous	dormiriez	vous	auriez	dormi
ils	dormiraient	ils	auraient	dormi

Subjonctif

Présent *il faut...*		Passé *il faut...*		
que je	dorme	que j'	aie	dormi
que tu	dormes	que tu	aies	dormi
qu' il	dorme	qu' il	ait	dormi
que nous	dormions	que nous	ayons	dormi
que vous	dormiez	que vous	ayez	dormi
qu' ils	dorment	qu' ils	aient	dormi

Imparfait *il fallait...*		Plus-que-parfait *il fallait...*		
que je	dormisse	que j'	eusse	dormi
que tu	dormisses	que tu	eusses	dormi
qu' il	dormît	qu' il	eût	dormi
que nous	dormissions	que nous	eussions	dormi
que vous	dormissiez	que vous	eussiez	dormi
qu' ils	dormissent	qu' ils	eussent	dormi

Impératif

Présent	Passé	
dors	aie	dormi
dormons	ayons	dormi
dormez	ayez	dormi

Infinitif

Présent	Passé	
dormir	avoir	dormi

Participe

Présent	Passé	
dormant	dormi (*invariable*)	
	ayant	dormi

sentir 53

Les verbes *consentir, démentir, mentir, pressentir, se repentir* (PR) et *ressentir* se conjuguent selon ce modèle. Le participe passé *menti* est invariable.

Indicatif

Présent		Passé composé		
je	sens	j'	ai	senti
tu	sens	tu	as	senti
elle	sent	elle	a	senti
nous	sentons	nous	avons	senti
vous	sentez	vous	avez	senti
elles	sentent	elles	ont	senti

Imparfait		Plus-que-parfait		
je	sentais	j'	avais	senti
tu	sentais	tu	avais	senti
elle	sentait	elle	avait	senti
nous	sentions	nous	avions	senti
vous	sentiez	vous	aviez	senti
elles	sentaient	elles	avaient	senti

Passé simple		Passé antérieur		
je	sentis	j'	eus	senti
tu	sentis	tu	eus	senti
elle	sentit	elle	eut	senti
nous	sentîmes	nous	eûmes	senti
vous	sentîtes	vous	eûtes	senti
elles	sentirent	elles	eurent	senti

Futur simple		Futur antérieur		
je	sentirai	j'	aurai	senti
tu	sentiras	tu	auras	senti
elle	sentira	elle	aura	senti
nous	sentirons	nous	aurons	senti
vous	sentirez	vous	aurez	senti
elles	sentiront	elles	auront	senti

Conditionnel présent		Conditionnel passé		
je	sentirais	j'	aurais	senti
tu	sentirais	tu	aurais	senti
elle	sentirait	elle	aurait	senti
nous	sentirions	nous	aurions	senti
vous	sentiriez	vous	auriez	senti
elles	sentiraient	elles	auraient	senti

Subjonctif

Présent *il faut...*		Passé *il faut...*		
que je	sente	que j'	aie	senti
que tu	sentes	que tu	aies	senti
qu' elle	sente	qu' elle	ait	senti
que nous	sentions	que nous	ayons	senti
que vous	sentiez	que vous	ayez	senti
qu' elles	sentent	qu' elles	aient	senti

Imparfait *il fallait...*		Plus-que-parfait *il fallait...*		
que je	sentisse	que j'	eusse	senti
que tu	sentisses	que tu	eusses	senti
qu' elle	sentît	qu' elle	eût	senti
que nous	sentissions	que nous	eussions	senti
que vous	sentissiez	que vous	eussiez	senti
qu' elles	sentissent	qu' elles	eussent	senti

Impératif

Présent	Passé	
sens	aie	senti
sentons	ayons	senti
sentez	ayez	senti

Infinitif

Présent	Passé	
sentir	avoir	senti

Participe

Présent	Passé	
sentant	senti, ie, is, ies	
	ayant	senti

54 servir

Les verbes *chauvir*, *desservir* et *resservir* se conjuguent selon ce modèle.

Indicatif

Présent		Passé composé		
je	sers	j'	ai	servi
tu	sers	tu	as	servi
il	sert	il	a	servi
nous	servons	nous	avons	servi
vous	servez	vous	avez	servi
ils	servent	ils	ont	servi

Imparfait		Plus-que-parfait		
je	servais	j'	avais	servi
tu	servais	tu	avais	servi
il	servait	il	avait	servi
nous	servions	nous	avions	servi
vous	serviez	vous	aviez	servi
ils	servaient	ils	avaient	servi

Passé simple		Passé antérieur		
je	servis	j'	eus	servi
tu	servis	tu	eus	servi
il	servit	il	eut	servi
nous	servîmes	nous	eûmes	servi
vous	servîtes	vous	eûtes	servi
ils	servirent	ils	eurent	servi

Futur simple		Futur antérieur		
je	servirai	j'	aurai	servi
tu	serviras	tu	auras	servi
il	servira	il	aura	servi
nous	servirons	nous	aurons	servi
vous	servirez	vous	aurez	servi
ils	serviront	ils	auront	servi

Conditionnel présent		Conditionnel passé		
je	servirais	j'	aurais	servi
tu	servirais	tu	aurais	servi
il	servirait	il	aurait	servi
nous	servirions	nous	aurions	servi
vous	serviriez	vous	auriez	servi
ils	serviraient	ils	auraient	servi

Subjonctif

Présent *il faut...*			Passé *il faut...*			
que	je	serve	que	j'	aie	servi
que	tu	serves	que	tu	aies	servi
qu'	il	serve	qu'	il	ait	servi
que	nous	servions	que	nous	ayons	servi
que	vous	serviez	que	vous	ayez	servi
qu'	ils	servent	qu'	ils	aient	servi

Imparfait *il fallait...*			Plus-que-parfait *il fallait...*			
que	je	servisse	que	j'	eusse	servi
que	tu	servisses	que	tu	eusses	servi
qu'	il	servît	qu'	il	eût	servi
que	nous	servissions	que	nous	eussions	servi
que	vous	servissiez	que	vous	eussiez	servi
qu'	ils	servissent	qu'	ils	eussent	servi

Impératif

Présent	Passé	
sers	aie	servi
servons	ayons	servi
servez	ayez	servi

Infinitif

Présent	Passé	
servir	avoir	servi

Participe

Présent	Passé	
servant	servi, ie, is, ies	
	ayant	servi

ÊTRE partir 55

Les verbes *départir* (auxiliaire *avoir*) et *repartir* A/E se conjuguent aux temps simples selon ce modèle.

Indicatif

Présent		Passé composé		
je	pars	je	suis	parti, ie
tu	pars	tu	es	parti, ie
il, elle	part	il, elle	est	parti, ie
nous	partons	nous	sommes	partis, ies
vous	partez	vous	êtes	partis, ies
ils, elles	partent	ils, elles	sont	partis, ies

Imparfait		Plus-que-parfait		
je	partais	j'	étais	parti, ie
tu	partais	tu	étais	parti, ie
il, elle	partait	il, elle	était	parti, ie
nous	partions	nous	étions	partis, ies
vous	partiez	vous	étiez	partis, ies
ils, elles	partaient	ils, elles	étaient	partis, ies

Passé simple		Passé antérieur		
je	partis	je	fus	parti, ie
tu	partis	tu	fus	parti, ie
il, elle	partit	il, elle	fut	parti, ie
nous	partîmes	nous	fûmes	partis, ies
vous	partîtes	vous	fûtes	partis, ies
ils, elles	partirent	ils, elles	furent	partis, ies

Futur simple		Futur antérieur		
je	partirai	je	serai	parti, ie
tu	partiras	tu	seras	parti, ie
il, elle	partira	il, elle	sera	parti, ie
nous	partirons	nous	serons	partis, ies
vous	partirez	vous	serez	partis, ies
ils, elles	partiront	ils, elles	seront	partis, ies

Conditionnel présent		Conditionnel passé		
je	partirais	je	serais	parti, ie
tu	partirais	tu	serais	parti, ie
il, elle	partirait	il, elle	serait	parti, ie
nous	partirions	nous	serions	partis, ies
vous	partiriez	vous	seriez	partis, ies
ils, elles	partiraient	ils, elles	seraient	partis, ies

Subjonctif

Présent *il faut...*		Passé *il faut...*		
que je	parte	que je	sois	parti, ie
que tu	partes	que tu	sois	parti, ie
qu' il, elle	parte	qu' il, elle	soit	parti, ie
que nous	partions	que nous	soyons	partis, ies
que vous	partiez	que vous	soyez	partis, ies
qu' ils, elles	partent	qu' ils, elles	soient	partis, ies

Imparfait *il fallait...*		Plus-que-parfait *il fallait...*		
que je	partisse	que je	fusse	parti, ie
que tu	partisses	que tu	fusses	parti, ie
qu' il, elle	partît	qu' il, elle	fût	parti, ie
que nous	partissions	que nous	fussions	partis, ies
que vous	partissiez	que vous	fussiez	partis, ies
qu' ils, elles	partissent	qu' ils, elles	fussent	partis, ies

Impératif

Présent	Passé	
pars	sois	parti, ie
partons	soyons	partis, ies
partez	soyez	partis, ies

Infinitif

Présent	Passé	
partir	être	parti, ie, is, ies

Participe

Présent	Passé	
partant	parti, ie, is, ies	
	étant	parti, ie, is, ies

56 sortir A/E

Le verbe *ressortir* A/E se conjugue selon ce modèle.

Lorsqu'ils sont transitifs directs, *sortir* et *ressortir* se conjuguent avec l'auxiliaire *avoir*: *J'**ai sorti** le chien. J'**ai ressorti** mes vieilles photos.*

Voir **Les auxiliaires de conjugaison *avoir* et *être*** à la page 136.

Indicatif

Présent		Passé composé		
je	sors	je	suis	sorti, ie
tu	sors	tu	es	sorti, ie
il, elle	sort	il, elle	est	sorti, ie
nous	sortons	nous	sommes	sortis, ies
vous	sortez	vous	êtes	sortis, ies
ils, elles	sortent	ils, elles	sont	sortis, ies

Imparfait		Plus-que-parfait		
je	sortais	j'	étais	sorti, ie
tu	sortais	tu	étais	sorti, ie
il, elle	sortait	il, elle	était	sorti, ie
nous	sortions	nous	étions	sortis, ies
vous	sortiez	vous	étiez	sortis, ies
ils, elles	sortaient	ils, elles	étaient	sortis, ies

Passé simple		Passé antérieur		
je	sortis	je	fus	sorti, ie
tu	sortis	tu	fus	sorti, ie
il, elle	sortit	il, elle	fut	sorti, ie
nous	sortîmes	nous	fûmes	sortis, ies
vous	sortîtes	vous	fûtes	sortis, ies
ils, elles	sortirent	ils, elles	furent	sortis, ies

Futur simple		Futur antérieur		
je	sortirai	je	serai	sorti, ie
tu	sortiras	tu	seras	sorti, ie
il, elle	sortira	il, elle	sera	sorti, ie
nous	sortirons	nous	serons	sortis, ies
vous	sortirez	vous	serez	sortis, ies
ils, elles	sortiront	ils, elles	seront	sortis, ies

Conditionnel présent		Conditionnel passé		
je	sortirais	je	serais	sorti, ie
tu	sortirais	tu	serais	sorti, ie
il, elle	sortirait	il, elle	serait	sorti, ie
nous	sortirions	nous	serions	sortis, ies
vous	sortiriez	vous	seriez	sortis, ies
ils, elles	sortiraient	ils, elles	seraient	sortis, ies

Subjonctif

Présent *il faut...*			Passé *il faut...*			
que	je	sorte	que	je	sois	sorti, ie
que	tu	sortes	que	tu	sois	sorti, ie
qu'	il, elle	sorte	qu'	il, elle	soit	sorti, ie
que	nous	sortions	que	nous	soyons	sortis, ies
que	vous	sortiez	que	vous	soyez	sortis, ies
qu'	ils, elles	sortent	qu'	ils, elles	soient	sortis, ies

Imparfait *il fallait...*			Plus-que-parfait *il fallait...*			
que	je	sortisse	que	je	fusse	sorti, ie
que	tu	sortisses	que	tu	fusses	sorti, ie
qu'	il, elle	sortît	qu'	il, elle	fût	sorti, ie
que	nous	sortissions	que	nous	fussions	sortis, ies
que	vous	sortissiez	que	vous	fussiez	sortis, ies
qu'	ils, elles	sortissent	qu'	ils, elles	fussent	sortis, ies

Impératif

Présent	Passé	
sors	sois	sorti, ie
sortons	soyons	sortis, ies
sortez	soyez	sortis, ies

Infinitif

Présent	Passé	
sortir	être	sorti, ie, is, ies

Participe

Présent	Passé	
sortant	sorti, ie, is, ies	
	étant	sorti, ie, is, ies

fuir 57

▷ Le « i » du radical devient parfois « y ».
▷ On conserve les terminaisons *-ions* et *-iez* malgré la prononciation du « y ».
Le verbe *s'enfuir* PR se conjugue selon ce modèle.

Indicatif

Présent		Passé composé		
je	fuis	j'	ai	fui
tu	fuis	tu	as	fui
elle	fuit	elle	a	fui
nous	fuyons	nous	avons	fui
vous	fuyez	vous	avez	fui
elles	fuient	elles	ont	fui

Imparfait		Plus-que-parfait		
je	fuyais	j'	avais	fui
tu	fuyais	tu	avais	fui
elle	fuyait	elle	avait	fui
nous	fuyions	nous	avions	fui
vous	fuyiez	vous	aviez	fui
elles	fuyaient	elles	avaient	fui

Passé simple		Passé antérieur		
je	fuis	j'	eus	fui
tu	fuis	tu	eus	fui
elle	fuit	elle	eut	fui
nous	fuîmes	nous	eûmes	fui
vous	fuîtes	vous	eûtes	fui
elles	fuirent	elles	eurent	fui

Futur simple		Futur antérieur		
je	fuirai	j'	aurai	fui
tu	fuiras	tu	auras	fui
elle	fuira	elle	aura	fui
nous	fuirons	nous	aurons	fui
vous	fuirez	vous	aurez	fui
elles	fuiront	elles	auront	fui

Conditionnel présent		Conditionnel passé		
je	fuirais	j'	aurais	fui
tu	fuirais	tu	aurais	fui
elle	fuirait	elle	aurait	fui
nous	fuirions	nous	aurions	fui
vous	fuiriez	vous	auriez	fui
elles	fuiraient	elles	auraient	fui

Subjonctif

Présent *il faut...*			Passé *il faut...*			
que	je	fuie	que	j'	aie	fui
que	tu	fuies	que	tu	aies	fui
qu'	elle	fuie	qu'	elle	ait	fui
que	nous	fuyions	que	nous	ayons	fui
que	vous	fuyiez	que	vous	ayez	fui
qu'	elles	fuient	qu'	elles	aient	fui

Imparfait *il fallait...*			Plus-que-parfait *il fallait...*			
que	je	fuisse	que	j'	eusse	fui
que	tu	fuisses	que	tu	eusses	fui
qu'	elle	fuît	qu'	elle	eût	fui
que	nous	fuissions	que	nous	eussions	fui
que	vous	fuissiez	que	vous	eussiez	fui
qu'	elles	fuissent	qu'	elles	eussent	fui

Impératif

Présent	Passé	
fuis	aie	fui
fuyons	ayons	fui
fuyez	ayez	fui

Infinitif

Présent	Passé	
fuir	avoir	fui

Participe

Présent	Passé	
fuyant	fui, ie, is, ies	
	ayant	fui

58 acquérir

▷ Le futur simple et le conditionnel présent comportent « **rr** ».
Les verbes *conquérir*, *s'enquérir* PR, *reconquérir* et *requérir* se conjuguent selon ce modèle.

Indicatif

Présent		Passé composé		
j'	acquiers	j'	ai	acquis
tu	acquiers	tu	as	acquis
il	acquiert	il	a	acquis
nous	acquérons	nous	avons	acquis
vous	acquérez	vous	avez	acquis
ils	acquièrent	ils	ont	acquis

Imparfait		Plus-que-parfait		
j'	acquérais	j'	avais	acquis
tu	acquérais	tu	avais	acquis
il	acquérait	il	avait	acquis
nous	acquérions	nous	avions	acquis
vous	acquériez	vous	aviez	acquis
ils	acquéraient	ils	avaient	acquis

Passé simple		Passé antérieur		
j'	acquis	j'	eus	acquis
tu	acquis	tu	eus	acquis
il	acquit	il	eut	acquis
nous	acquîmes	nous	eûmes	acquis
vous	acquîtes	vous	eûtes	acquis
ils	acquirent	ils	eurent	acquis

Futur simple		Futur antérieur		
j'	acquerrai	j'	aurai	acquis
tu	acquerras	tu	auras	acquis
il	acquerra	il	aura	acquis
nous	acquerrons	nous	aurons	acquis
vous	acquerrez	vous	aurez	acquis
ils	acquerront	ils	auront	acquis

Conditionnel présent		Conditionnel passé		
j'	acquerrais	j'	aurais	acquis
tu	acquerrais	tu	aurais	acquis
il	acquerrait	il	aurait	acquis
nous	acquerrions	nous	aurions	acquis
vous	acquerriez	vous	auriez	acquis
ils	acquerraient	ils	auraient	acquis

Subjonctif

Présent *il faut...*			Passé *il faut...*			
que	j'	acquière	que	j'	aie	acquis
que	tu	acquières	que	tu	aies	acquis
qu'	il	acquière	qu'	il	ait	acquis
que	nous	acquérions	que	nous	ayons	acquis
que	vous	acquériez	que	vous	ayez	acquis
qu'	ils	acquièrent	qu'	ils	aient	acquis

Imparfait *il fallait...*			Plus-que-parfait *il fallait...*			
que	j'	acquisse	que	j'	eusse	acquis
que	tu	acquisses	que	tu	eusses	acquis
qu'	il	acquît	qu'	il	eût	acquis
que	nous	acquissions	que	nous	eussions	acquis
que	vous	acquissiez	que	vous	eussiez	acquis
qu'	ils	acquissent	qu'	ils	eussent	acquis

Impératif

Présent	Passé	
acquiers	aie	acquis
acquérons	ayons	acquis
acquérez	ayez	acquis

Infinitif

Présent	Passé	
acquérir	avoir	acquis

Participe

Présent	Passé	
acquérant	acquis, ise, is, ises	
	ayant	acquis

courir 59

▷ Le futur simple et le conditionnel présent comportent « **rr** ».
Les verbes *accourir* A/E, *concourir, discourir, encourir, parcourir, recourir* et *secourir* se conjuguent selon ce modèle. Les participes passés *concouru* et *discouru* sont invariables.

Indicatif

Présent

je	cours
tu	cours
elle	court
nous	courons
vous	courez
elles	courent

Passé composé

j'	ai	couru
tu	as	couru
elle	a	couru
nous	avons	couru
vous	avez	couru
elles	ont	couru

Imparfait

je	courais
tu	courais
elle	courait
nous	courions
vous	couriez
elles	couraient

Plus-que-parfait

j'	avais	couru
tu	avais	couru
elle	avait	couru
nous	avions	couru
vous	aviez	couru
elles	avaient	couru

Passé simple

je	courus
tu	courus
elle	courut
nous	courûmes
vous	courûtes
elles	coururent

Passé antérieur

j'	eus	couru
tu	eus	couru
elle	eut	couru
nous	eûmes	couru
vous	eûtes	couru
elles	eurent	couru

Futur simple

je	courrai
tu	courras
elle	courra
nous	courrons
vous	courrez
elles	courront

Futur antérieur

j'	aurai	couru
tu	auras	couru
elle	aura	couru
nous	aurons	couru
vous	aurez	couru
elles	auront	couru

Conditionnel présent

je	courrais
tu	courrais
elle	courrait
nous	courrions
vous	courriez
elles	courraient

Conditionnel passé

j'	aurais	couru
tu	aurais	couru
elle	aurait	couru
nous	aurions	couru
vous	auriez	couru
elles	auraient	couru

Subjonctif

Présent
il faut...

que	je	coure
que	tu	coures
qu'	elle	coure
que	nous	courions
que	vous	couriez
qu'	elles	courent

Passé
il faut...

que	j'	aie	couru
que	tu	aies	couru
qu'	elle	ait	couru
que	nous	ayons	couru
que	vous	ayez	couru
qu'	elles	aient	couru

Imparfait
il fallait...

que	je	courusse
que	tu	courusses
qu'	elle	courût
que	nous	courussions
que	vous	courussiez
qu'	elles	courussent

Plus-que-parfait
il fallait...

que	j'	eusse	couru
que	tu	eusses	couru
qu'	elle	eût	couru
que	nous	eussions	couru
que	vous	eussiez	couru
qu'	elles	eussent	couru

Impératif

Présent

cours
courons
courez

Passé

aie couru
ayons couru
ayez couru

Infinitif

Présent

courir

Passé

avoir couru

Participe

Présent

courant

Passé

couru, ue, us, ues
ayant couru

60 mourir ÊTRE

▷ Le futur simple et le conditionnel présent comportent « rr ».

Indicatif

Présent		Passé composé		
je	meurs	je	suis	mort, te
tu	meurs	tu	es	mort, te
il, elle	meurt	il, elle	est	mort, te
nous	mourons	nous	sommes	morts, tes
vous	mourez	vous	êtes	morts, tes
ils, elles	meurent	ils, elles	sont	morts, tes

Imparfait		Plus-que-parfait		
je	mourais	j'	étais	mort, te
tu	mourais	tu	étais	mort, te
il, elle	mourait	il, elle	était	mort, te
nous	mourions	nous	étions	morts, tes
vous	mouriez	vous	étiez	morts, tes
ils, elles	mouraient	ils, elles	étaient	morts, tes

Passé simple		Passé antérieur		
je	mourus	je	fus	mort, te
tu	mourus	tu	fus	mort, te
il, elle	mourut	il, elle	fut	mort, te
nous	mourûmes	nous	fûmes	morts, tes
vous	mourûtes	vous	fûtes	morts, tes
ils, elles	moururent	ils, elles	furent	morts, tes

Futur simple		Futur antérieur		
je	mourrai	je	serai	mort, te
tu	mourras	tu	seras	mort, te
il, elle	mourra	il, elle	sera	mort, te
nous	mourrons	nous	serons	morts, tes
vous	mourrez	vous	serez	morts, tes
ils, elles	mourront	ils, elles	seront	morts, tes

Conditionnel présent		Conditionnel passé		
je	mourrais	je	serais	mort, te
tu	mourrais	tu	serais	mort, te
il, elle	mourrait	il, elle	serait	mort, te
nous	mourrions	nous	serions	morts, tes
vous	mourriez	vous	seriez	morts, tes
ils, elles	mourraient	ils, elles	seraient	morts, tes

Subjonctif

Présent *il faut...*			Passé *il faut...*			
que	je	meure	que	je	sois	mort, te
que	tu	meures	que	tu	sois	mort, te
qu'	il, elle	meure	qu'	il, elle	soit	mort, te
que	nous	mourions	que	nous	soyons	morts, tes
que	vous	mouriez	que	vous	soyez	morts, tes
qu'	ils, elles	meurent	qu'	ils, elles	soient	morts, tes

Imparfait *il fallait...*			Plus-que-parfait *il fallait...*			
que	je	mourusse	que	je	fusse	mort, te
que	tu	mourusses	que	tu	fusses	mort, te
qu'	il, elle	mourût	qu'	il, elle	fût	mort, te
que	nous	mourussions	que	nous	fussions	morts, tes
que	vous	mourussiez	que	vous	fussiez	morts, tes
qu'	ils, elles	mourussent	qu'	ils, elles	fussent	morts, tes

Impératif

Présent	Passé	
meurs	sois	mort, morte
mourons	soyons	morts, mortes
mourez	soyez	morts, mortes

Infinitif

Présent	Passé	
mourir	être	mort, morte, morts, mortes

Participe

Présent	Passé	
mourant	mort, morte, morts, mortes	
	étant	mort, morte, morts, mortes

vêtir 61

Le verbe pronominal *se vêtir* est très usité: *je me vêts, tu te vêts,* etc. *je me suis vêtu, ue, tu t'es vêtu, ue,* etc.

Les verbes *dévêtir* et *revêtir* se conjuguent selon ce modèle.

Indicatif

Présent

je	vêts
tu	vêts
elle	vêt
nous	vêtons
vous	vêtez
elles	vêtent

Passé composé

j'	ai	vêtu
tu	as	vêtu
elle	a	vêtu
nous	avons	vêtu
vous	avez	vêtu
elles	ont	vêtu

Imparfait

je	vêtais
tu	vêtais
elle	vêtait
nous	vêtions
vous	vêtiez
elles	vêtaient

Plus-que-parfait

j'	avais	vêtu
tu	avais	vêtu
elle	avait	vêtu
nous	avions	vêtu
vous	aviez	vêtu
elles	avaient	vêtu

Passé simple

je	vêtis
tu	vêtis
elle	vêtit
nous	vêtîmes
vous	vêtîtes
elles	vêtirent

Passé antérieur

j'	eus	vêtu
tu	eus	vêtu
elle	eut	vêtu
nous	eûmes	vêtu
vous	eûtes	vêtu
elles	eurent	vêtu

Futur simple

je	vêtirai
tu	vêtiras
elle	vêtira
nous	vêtirons
vous	vêtirez
elles	vêtiront

Futur antérieur

j'	aurai	vêtu
tu	auras	vêtu
elle	aura	vêtu
nous	aurons	vêtu
vous	aurez	vêtu
elles	auront	vêtu

Conditionnel présent

je	vêtirais
tu	vêtirais
elle	vêtirait
nous	vêtirions
vous	vêtiriez
elles	vêtiraient

Conditionnel passé

j'	aurais	vêtu
tu	aurais	vêtu
elle	aurait	vêtu
nous	aurions	vêtu
vous	auriez	vêtu
elles	auraient	vêtu

Subjonctif

Présent

il faut...

que	je	vête
que	tu	vêtes
qu'	elle	vête
que	nous	vêtions
que	vous	vêtiez
qu'	elles	vêtent

Passé

il faut...

que	j'	aie	vêtu
que	tu	aies	vêtu
qu'	elle	ait	vêtu
que	nous	ayons	vêtu
que	vous	ayez	vêtu
qu'	elles	aient	vêtu

Imparfait

il fallait...

que	je	vêtisse
que	tu	vêtisses
qu'	elle	vêtît
que	nous	vêtissions
que	vous	vêtissiez
qu'	elles	vêtissent

Plus-que-parfait

il fallait...

que	j'	eusse	vêtu
que	tu	eusses	vêtu
qu'	elle	eût	vêtu
que	nous	eussions	vêtu
que	vous	eussiez	vêtu
qu'	elles	eussent	vêtu

Impératif

Présent

vêts
vêtons
vêtez

Passé

aie	vêtu
ayons	vêtu
ayez	vêtu

Infinitif

Présent

vêtir

Passé

avoir vêtu

Participe

Présent

vêtant

Passé

vêtu, ue, us, ues
ayant vêtu

venir ÊTRE

Les verbes *advenir, devenir, intervenir, obvenir, parvenir, provenir, redevenir, se ressouvenir* PR, *revenir, se souvenir* PR et *survenir* se conjuguent selon ce modèle.

Indicatif

Présent		Passé composé		
je	viens	je	suis	venu, ue
tu	viens	tu	es	venu, ue
il, elle	vient	il, elle	est	venu, ue
nous	venons	nous	sommes	venus, ues
vous	venez	vous	êtes	venus, ues
ils, elles	viennent	ils, elles	sont	venus, ues

Imparfait		Plus-que-parfait		
je	venais	j'	étais	venu, ue
tu	venais	tu	étais	venu, ue
il, elle	venait	il, elle	était	venu, ue
nous	venions	nous	étions	venus, ues
vous	veniez	vous	étiez	venus, ues
ils, elles	venaient	ils, elles	étaient	venus, ues

Passé simple		Passé antérieur		
je	vins	je	fus	venu, ue
tu	vins	tu	fus	venu, ue
il, elle	vint	il, elle	fut	venu, ue
nous	vînmes	nous	fûmes	venus, ues
vous	vîntes	vous	fûtes	venus, ues
ils, elles	vinrent	ils, elles	furent	venus, ues

Futur simple		Futur antérieur		
je	viendrai	je	serai	venu, ue
tu	viendras	tu	seras	venu, ue
il, elle	viendra	il, elle	sera	venu, ue
nous	viendrons	nous	serons	venus, ues
vous	viendrez	vous	serez	venus, ues
ils, elles	viendront	ils, elles	seront	venus, ues

Conditionnel présent		Conditionnel passé		
je	viendrais	je	serais	venu, ue
tu	viendrais	tu	serais	venu, ue
il, elle	viendrait	il, elle	serait	venu, ue
nous	viendrions	nous	serions	venus, ues
vous	viendriez	vous	seriez	venus, ues
ils, elles	viendraient	ils, elles	seraient	venus, ues

Subjonctif

Présent *il faut…*			Passé *il faut…*			
que	je	vienne	que	je	sois	venu, ue
que	tu	viennes	que	tu	sois	venu, ue
qu'	il, elle	vienne	qu'	il, elle	soit	venu, ue
que	nous	venions	que	nous	soyons	venus, ues
que	vous	veniez	que	vous	soyez	venus, ues
qu'	ils, elles	viennent	qu'	ils, elles	soient	venus, ues

Imparfait *il fallait…*			Plus-que-parfait *il fallait…*			
que	je	vinsse	que	je	fusse	venu, ue
que	tu	vinsses	que	tu	fusses	venu, ue
qu'	il, elle	vînt	qu'	il, elle	fût	venu, ue
que	nous	vinssions	que	nous	fussions	venus, ues
que	vous	vinssiez	que	vous	fussiez	venus, ues
qu'	ils, elles	vinssent	qu'	ils, elles	fussent	venus, ues

Impératif

Présent	Passé	
viens	sois	venu, ue
venons	soyons	venus, ues
venez	soyez	venus, ues

Infinitif

Présent	Passé	
venir	être	venu, ue, us, ues

Participe

Présent	Passé	
venant	venu, ue, us, ues	
	étant	venu, ue, us, ues

tenir 63

Les verbes composés de *tenir* ainsi que *circonvenir*, *contrevenir*, *convenir* A/E, *disconvenir* A/E, *prévenir* et *subvenir* se conjuguent selon ce modèle.

Indicatif

Présent

je tiens
tu tiens
elle tient
nous tenons
vous tenez
elles tiennent

Passé composé

j' ai tenu
tu as tenu
elle a tenu
nous avons tenu
vous avez tenu
elles ont tenu

Imparfait

je tenais
tu tenais
elle tenait
nous tenions
vous teniez
elles tenaient

Plus-que-parfait

j' avais tenu
tu avais tenu
elle avait tenu
nous avions tenu
vous aviez tenu
elles avaient tenu

Passé simple

je tins
tu tins
elle tint
nous tînmes
vous tîntes
elles tinrent

Passé antérieur

j' eus tenu
tu eus tenu
elle eut tenu
nous eûmes tenu
vous eûtes tenu
elles eurent tenu

Futur simple

je tiendrai
tu tiendras
elle tiendra
nous tiendrons
vous tiendrez
elles tiendront

Futur antérieur

j' aurai tenu
tu auras tenu
elle aura tenu
nous aurons tenu
vous aurez tenu
elles auront tenu

Conditionnel présent

je tiendrais
tu tiendrais
elle tiendrait
nous tiendrions
vous tiendriez
elles tiendraient

Conditionnel passé

j' aurais tenu
tu aurais tenu
elle aurait tenu
nous aurions tenu
vous auriez tenu
elles auraient tenu

Subjonctif

Présent
il faut...

que je tienne
que tu tiennes
qu' elle tienne
que nous tenions
que vous teniez
qu' elles tiennent

Passé
il faut...

que j' aie tenu
que tu aies tenu
qu' elle ait tenu
que nous ayons tenu
que vous ayez tenu
qu' elles aient tenu

Imparfait
il fallait...

que je tinsse
que tu tinsses
qu' elle tînt
que nous tinssions
que vous tinssiez
qu' elles tinssent

Plus-que-parfait
il fallait...

que j' eusse tenu
que tu eusses tenu
qu' elle eût tenu
que nous eussions tenu
que vous eussiez tenu
qu' elles eussent tenu

Impératif

Présent

tiens
tenons
tenez

Passé

aie tenu
ayons tenu
ayez tenu

Infinitif

Présent

tenir

Passé

avoir tenu

Participe

Présent

tenant

Passé

tenu, ue, us, ues
ayant tenu

64 cueillir

- ▷ Au futur simple et au conditionnel présent, les terminaisons commencent par un « e ».
- ▷ On conserve les terminaisons *-ions* et *-iez* malgré la prononciation du « ill ».

Les verbes *accueillir* et *recueillir* se conjuguent selon ce modèle.

Indicatif

Présent		Passé composé		
je	cueille	j'	ai	cueilli
tu	cueilles	tu	as	cueilli
il	cueille	il	a	cueilli
nous	cueillons	nous	avons	cueilli
vous	cueillez	vous	avez	cueilli
ils	cueillent	ils	ont	cueilli

Imparfait		Plus-que-parfait		
je	cueillais	j'	avais	cueilli
tu	cueillais	tu	avais	cueilli
il	cueillait	il	avait	cueilli
nous	cueillions	nous	avions	cueilli
vous	cueilliez	vous	aviez	cueilli
ils	cueillaient	ils	avaient	cueilli

Passé simple		Passé antérieur		
je	cueillis	j'	eus	cueilli
tu	cueillis	tu	eus	cueilli
il	cueillit	il	eut	cueilli
nous	cueillîmes	nous	eûmes	cueilli
vous	cueillîtes	vous	eûtes	cueilli
ils	cueillirent	ils	eurent	cueilli

Futur simple		Futur antérieur		
je	cueillerai	j'	aurai	cueilli
tu	cueilleras	tu	auras	cueilli
il	cueillera	il	aura	cueilli
nous	cueillerons	nous	aurons	cueilli
vous	cueillerez	vous	aurez	cueilli
ils	cueilleront	ils	auront	cueilli

Conditionnel présent		Conditionnel passé		
je	cueillerais	j'	aurais	cueilli
tu	cueillerais	tu	aurais	cueilli
il	cueillerait	il	aurait	cueilli
nous	cueillerions	nous	aurions	cueilli
vous	cueilleriez	vous	auriez	cueilli
ils	cueilleraient	ils	auraient	cueilli

Subjonctif

Présent *il faut…*			Passé *il faut…*			
que	je	cueille	que	j'	aie	cueilli
que	tu	cueilles	que	tu	aies	cueilli
qu'	il	cueille	qu'	il	ait	cueilli
que	nous	cueillions	que	nous	ayons	cueilli
que	vous	cueilliez	que	vous	ayez	cueilli
qu'	ils	cueillent	qu'	ils	aient	cueilli

Imparfait *il fallait…*			Plus-que-parfait *il fallait…*			
que	je	cueillisse	que	j'	eusse	cueilli
que	tu	cueillisses	que	tu	eusses	cueilli
qu'	il	cueillît	qu'	il	eût	cueilli
que	nous	cueillissions	que	nous	eussions	cueilli
que	vous	cueillissiez	que	vous	eussiez	cueilli
qu'	ils	cueillissent	qu'	ils	eussent	cueilli

Impératif

Présent	Passé	
cueille	aie	cueilli
cueillons	ayons	cueilli
cueillez	ayez	cueilli

Infinitif

Présent	Passé	
cueillir	avoir	cueilli

Participe

Présent	Passé	
cueillant	cueilli, ie, is, ies	
	ayant	cueilli

offrir 65

Le verbe *souffrir* se conjugue selon ce modèle.

Indicatif

Présent		Passé composé		
j'	offre	j'	ai	offert
tu	offres	tu	as	offert
elle	offre	elle	a	offert
nous	offrons	nous	avons	offert
vous	offrez	vous	avez	offert
elles	offrent	elles	ont	offert

Imparfait		Plus-que-parfait		
j'	offrais	j'	avais	offert
tu	offrais	tu	avais	offert
elle	offrait	elle	avait	offert
nous	offrions	nous	avions	offert
vous	offriez	vous	aviez	offert
elles	offraient	elles	avaient	offert

Passé simple		Passé antérieur		
j'	offris	j'	eus	offert
tu	offris	tu	eus	offert
elle	offrit	elle	eut	offert
nous	offrîmes	nous	eûmes	offert
vous	offrîtes	vous	eûtes	offert
elles	offrirent	elles	eurent	offert

Futur simple		Futur antérieur		
j'	offrirai	j'	aurai	offert
tu	offriras	tu	auras	offert
elle	offrira	elle	aura	offert
nous	offrirons	nous	aurons	offert
vous	offrirez	vous	aurez	offert
elles	offriront	elles	auront	offert

Conditionnel présent		Conditionnel passé		
j'	offrirais	j'	aurais	offert
tu	offrirais	tu	aurais	offert
elle	offrirait	elle	aurait	offert
nous	offririons	nous	aurions	offert
vous	offririez	vous	auriez	offert
elles	offriraient	elles	auraient	offert

Subjonctif

Présent *il faut...*			Passé *il faut...*			
que	j'	offre	que	j'	aie	offert
que	tu	offres	que	tu	aies	offert
qu'	elle	offre	qu'	elle	ait	offert
que	nous	offrions	que	nous	ayons	offert
que	vous	offriez	que	vous	ayez	offert
qu'	elles	offrent	qu'	elles	aient	offert

Imparfait *il fallait...*			Plus-que-parfait *il fallait...*			
que	j'	offrisse	que	j'	eusse	offert
que	tu	offrisses	que	tu	eusses	offert
qu'	elle	offrît	qu'	elle	eût	offert
que	nous	offrissions	que	nous	eussions	offert
que	vous	offrissiez	que	vous	eussiez	offert
qu'	elles	offrissent	qu'	elles	eussent	offert

Impératif

Présent	Passé	
offre	aie	offert
offrons	ayons	offert
offrez	ayez	offert

Infinitif

Présent	Passé	
offrir	avoir	offert

Participe

Présent	Passé	
offrant	offert, erte, erts, ertes	
	ayant	offert

66 ouvrir

Les verbes *couvrir, découvrir, entrouvrir, recouvrir, redécouvrir* et *rouvrir* se conjuguent selon ce modèle.

Indicatif

Présent		Passé composé		
j'	ouvre	j'	ai	ouvert
tu	ouvres	tu	as	ouvert
il	ouvre	il	a	ouvert
nous	ouvrons	nous	avons	ouvert
vous	ouvrez	vous	avez	ouvert
ils	ouvrent	ils	ont	ouvert

Imparfait		Plus-que-parfait		
j'	ouvrais	j'	avais	ouvert
tu	ouvrais	tu	avais	ouvert
il	ouvrait	il	avait	ouvert
nous	ouvrions	nous	avions	ouvert
vous	ouvriez	vous	aviez	ouvert
ils	ouvraient	ils	avaient	ouvert

Passé simple		Passé antérieur		
j'	ouvris	j'	eus	ouvert
tu	ouvris	tu	eus	ouvert
il	ouvrit	il	eut	ouvert
nous	ouvrîmes	nous	eûmes	ouvert
vous	ouvrîtes	vous	eûtes	ouvert
ils	ouvrirent	ils	eurent	ouvert

Futur simple		Futur antérieur		
j'	ouvrirai	j'	aurai	ouvert
tu	ouvriras	tu	auras	ouvert
il	ouvrira	il	aura	ouvert
nous	ouvrirons	nous	aurons	ouvert
vous	ouvrirez	vous	aurez	ouvert
ils	ouvriront	ils	auront	ouvert

Conditionnel présent		Conditionnel passé		
j'	ouvrirais	j'	aurais	ouvert
tu	ouvrirais	tu	aurais	ouvert
il	ouvrirait	il	aurait	ouvert
nous	ouvririons	nous	aurions	ouvert
vous	ouvririez	vous	auriez	ouvert
ils	ouvriraient	ils	auraient	ouvert

Subjonctif

Présent *il faut...*			Passé *il faut...*			
que	j'	ouvre	que	j'	aie	ouvert
que	tu	ouvres	que	tu	aies	ouvert
qu'	il	ouvre	qu'	il	ait	ouvert
que	nous	ouvrions	que	nous	ayons	ouvert
que	vous	ouvriez	que	vous	ayez	ouvert
qu'	ils	ouvrent	qu'	ils	aient	ouvert

Imparfait *il fallait...*			Plus-que-parfait *il fallait...*			
que	j'	ouvrisse	que	j'	eusse	ouvert
que	tu	ouvrisses	que	tu	eusses	ouvert
qu'	il	ouvrît	qu'	il	eût	ouvert
que	nous	ouvrissions	que	nous	eussions	ouvert
que	vous	ouvrissiez	que	vous	eussiez	ouvert
qu'	ils	ouvrissent	qu'	ils	eussent	ouvert

Impératif

Présent	Passé	
ouvre	aie	ouvert
ouvrons	ayons	ouvert
ouvrez	ayez	ouvert

Infinitif

Présent	Passé	
ouvrir	avoir	ouvert

Participe

Présent	Passé	
ouvrant	ouvert, erte, erts, ertes	
	ayant	ouvert

assaillir 67

▷ On conserve les terminaisons ***-ions*** et ***-iez*** malgré la prononciation du « ill ».

Les verbes *faillir*, *saillir* et *tressaillir* se conjuguent selon ce modèle. Le participe passé *tressailli* est invariable.

Les verbes *faillir* et *saillir* ne s'emploient pas à tous les temps (voir l'Index des verbes).

Indicatif

Présent		Passé composé		
j'	assaille	j'	ai	assailli
tu	assailles	tu	as	assailli
elle	assaille	elle	a	assailli
nous	assaillons	nous	avons	assailli
vous	assaillez	vous	avez	assailli
elles	assaillent	elles	ont	assailli

Imparfait		Plus-que-parfait		
j'	assaillais	j'	avais	assailli
tu	assaillais	tu	avais	assailli
elle	assaillait	elle	avait	assailli
nous	assaillions	nous	avions	assailli
vous	assailliez	vous	aviez	assailli
elles	assaillaient	elles	avaient	assailli

Passé simple		Passé antérieur		
j'	assaillis	j'	eus	assailli
tu	assaillis	tu	eus	assailli
elle	assaillit	elle	eut	assailli
nous	assaillîmes	nous	eûmes	assailli
vous	assaillîtes	vous	eûtes	assailli
elles	assaillirent	elles	eurent	assailli

Futur simple		Futur antérieur		
j'	assaillirai	j'	aurai	assailli
tu	assailliras	tu	auras	assailli
elle	assaillira	elle	aura	assailli
nous	assaillirons	nous	aurons	assailli
vous	assaillirez	vous	aurez	assailli
elles	assailliront	elles	auront	assailli

Conditionnel présent		Conditionnel passé		
j'	assaillirais	j'	aurais	assailli
tu	assaillirais	tu	aurais	assailli
elle	assaillirait	elle	aurait	assailli
nous	assaillirions	nous	aurions	assailli
vous	assailliriez	vous	auriez	assailli
elles	assailliraient	elles	auraient	assailli

Subjonctif

Présent *il faut...*			Passé *il faut...*			
que	j'	assaille	que	j'	aie	assailli
que	tu	assailles	que	tu	aies	assailli
qu'	elle	assaille	qu'	elle	ait	assailli
que	nous	assaillions	que	nous	ayons	assailli
que	vous	assailliez	que	vous	ayez	assailli
qu'	elles	assaillent	qu'	elles	aient	assailli

Imparfait *il fallait...*			Plus-que-parfait *il fallait...*			
que	j'	assaillisse	que	j'	eusse	assailli
que	tu	assaillisses	que	tu	eusses	assailli
qu'	elle	assaillît	qu'	elle	eût	assailli
que	nous	assaillissions	que	nous	eussions	assailli
que	vous	assaillissiez	que	vous	eussiez	assailli
qu'	elles	assaillissent	qu'	elles	eussent	assailli

Impératif

Présent	Passé	
assaille	aie	assailli
assaillons	ayons	assailli
assaillez	ayez	assailli

Infinitif

Présent	Passé	
assaillir	avoir	assailli

Participe

Présent	Passé	
assaillant	assailli, ie, is, ies	
	ayant	assailli

68 gésir

▷ À la 3e personne du singulier du présent de l'indicatif, le « i » devient « î » :
il, elle gît.

Le verbe *gésir* ne s'emploie qu'aux temps et aux modes ci-dessous.

Indicatif

Présent	Passé composé
je gis	–
tu gis	–
il gît	–
nous gisons	–
vous gisez	–
ils gisent	–

Imparfait	Plus-que-parfait
je gisais	–
tu gisais	–
il gisait	–
nous gisions	–
vous gisiez	–
ils gisaient	–

Passé simple	Passé antérieur
–	–
–	–
–	–
–	–
–	–
–	–

Futur simple	Futur antérieur
–	–
–	–
–	–
–	–
–	–
–	–

Conditionnel présent	Conditionnel passé
–	–
–	–
–	–
–	–
–	–
–	–

Subjonctif

Présent	Passé
–	–
–	–
–	–
–	–
–	–
–	–

Imparfait	Plus-que-parfait
–	–
–	–
–	–
–	–
–	–
–	–

Impératif

Présent	Passé
–	–
–	–
–	–

Infinitif

Présent	Passé
gésir	–

Participe

Présent	Passé
gisant	–
	–

Tableau des irrégularités des verbes en *-re*

VERBE MODÈLE	CARACTÉRISTIQUE	PARTICULARITÉ ORTHOGRAPHIQUE OU DIFFICULTÉ	AUTRES VERBES
73 écrire	Verbes en *-crire* P. passé : *-crit, -crite* **2 radicaux :** *-cri-, -criv-* *j'écris, nous écrivons*	–	**12 occurrences** *circonscrire, décrire, inscrire, prescrire, proscrire, récrire, réécrire, réinscrire, retranscrire, souscrire* et *transcrire*
74 dire	Verbes en *-dire,* sauf *maudire* et ceux comme *prédire* P. passé : *-dit, -dite* **3 radicaux :** *-di-, -dis-, -d-* *je dis, nous disons, que je disse*	▷ 2e personne du pluriel en *-tes*	**2 occurrences** *redire*
75 prédire	Verbes en *-dire,* sauf *dire, redire* et *maudire* P. passé : *-dit, -dite* **3 radicaux :** *-di-,-dis-, -d-* *je prédis, nous prédisons, que je prédisse*	▷ 2e personne du pluriel en *-sez*	**5 occurrences** *contredire, dédire, interdire* et *médire*
76 maudire	P. passé : *maudit, maudite* Se conjugue comme *finir* à l'exception du p. passé	–	**1 occurrence**
77 suffire	Verbes *suffire* (p. passé : *suffi, inv.*), *circoncire* (p. passé : *circoncis, ise*) et *confire* (p. passé : *confis, ise*)	–	**3 occurrences** *circoncire* et *confire*
78 lire	Verbes en *-lire* P. passé : *-lu, -lue* **3 radicaux :** *-li-, -lis-, -l-* *je lis, nous lisons, je lus*	–	**4 occurrences** *élire, réélire* et *relire*
79 sourire	Verbes en *-rire* P. passé : *-ri, inv.* **2 radicaux :** *-ri-, -r-* *je souris, que je sourisse*	▷ doublement du **i**	**2 occurrences** *rire*
80 faire	Verbes en *-faire* P. passé : *-fait, -faite* **5 radicaux :** *-fai-, -fais-, -f-, -fe-, -fass-* *je fais, nous faisons, je fis, je ferai, que je fasse*	▷ 2e personne du pluriel en *-tes* ▷ **fai** se prononce [**fe**]	**10 occurrences** *contrefaire, défaire, forfaire, parfaire, redéfaire, refaire, satisfaire, stupéfaire* et *surfaire*
81 plaire	Verbes en *-plaire* P. passé : *-plu, inv.* **3 radicaux :** *-plai-, -plais-, -pl-* *je plais, nous plaisons, je plus*	▷ alternance **i, î**	**3 occurrences** *complaire* et *déplaire*

VERBE MODÈLE	CARACTÉRISTIQUE	PARTICULARITÉ ORTHOGRAPHIQUE OU DIFFICULTÉ	AUTRES VERBES
82 taire	P. passé: ***tu, tue*** **3 radicaux:** *tai-, tais-, t-* *je tais, nous taisons, je tus*	–	**1 occurrence**
83 soustraire *Défectif **	Verbes en *-raire,* sauf *braire* P. passé: *-rait, -raite* **2 radicaux:** *-rai-, -ray-* *je soustrais, nous soustrayons*	▷ alternance **y, i** ▷ **y** suivi de **i**	**7 occurrences** *abstraire, distraire, extraire, raire, rentraire* et *traire*
84 boire	P. passé: ***bu, bue*** **4 radicaux:** *boi-, buv-, boiv-, b-* *je bois, nous buvons, ils, elles boivent, je bus*	–	**1 occurrence**
85 croire	P. passé: *cru, **ue*** **3 radicaux:** *croi-, croy-, cr-* *je crois, nous croyons, je crus*	▷ alternance **y, i** ▷ **y** suivi de **i**	**1 occurrence**
86 produire	Verbes en *-uire* P. passé: *-uit, -uite* (sauf *luire, nuire* et *reluire:* ***-ui,*** *inv.*) **2 radicaux:** *-ui-, -uis-* *je produis, nous produisons*	–	**28 occurrences** *conduire, construire, cuire, déduire, détruire, instruire, introduire, luire, nuire, reconduire, reconstruire, réduire, reluire, reproduire, séduire, traduire,* etc.
87 rompre	Verbes en *-rompre* P. passé: *-rompu, -rompue*	permanence du **p**	**3 occurrences** *corrompre* et *interrompre*
88 conclure	Verbes en *-clure* P. passé: *-clu, **ue*** (sauf *inclure* et *occlure: -clus, -cluse*) **2 radicaux:** *-clu-, -cl-* *il, elle conclut, que je conclusse*	–	**4 occurrences** *exclure, inclure* et *occlure*
89 vaincre	Verbes en *-vaincre* P. passé: *-vaincu, **ue*** **2 radicaux:** *-vainc-, -vainqu-* *je vaincs, nous vainquons*	▷ finale en **c** (présent de l'indicatif, 3e pers. sing.) ▷ alternance **c, qu**	**2 occurrences** *convaincre*
90 vivre	Verbes en *-vivre* P. passé: *-vécu, -vécue* **3 radicaux:** *-vi-, -viv-, -véc-* *je vis, nous vivons, je vécus*	▷ radical en ***-véc-***	**3 occurrences** *revivre* et *survivre*
91 suivre	Verbes en *-suivre* P. passé: *-suivi, **ie*** **2 radicaux:** *-sui-, -suiv-* *je suis, nous suivons*	–	**3 occurrences** *s'ensuivre* et *poursuivre*
92 coudre	Verbes en *-coudre* P. passé: *-cousu, **ue*** **2 radicaux:** *-coud-, -cous-* *je couds, nous cousons*	▷ finale en **d** (présent de l'indicatif, 3e pers. sing.)	**3 occurrences** *découdre* et *recoudre*

* Les verbes défectifs ne se conjuguent pas à tous les modes ni à tous les temps (consulter le tableau).

VERBE MODÈLE	CARACTÉRISTIQUE	PARTICULARITÉ ORTHOGRAPHIQUE OU DIFFICULTÉ	AUTRES VERBES
93 moudre	P. passé : *moul**u**, **ue*** **2 radicaux :** *moud-, moul-* *je moud**s**, nous moul**ons***	▷ finale en **d** (présent de l'indicatif, 3e pers. sing.)	**1 occurrence**
94 résoudre	P. passé : *résol**u**, **ue*** **4 radicaux :** *résou-, résolv-, résol-, résoud-* *je résou**s**, nous résolv**ons**, je résol**us**, je résoud**rai***	–	**1 occurrence**
95 dissoudre	Verbes en *-soudre*, sauf *résoudre* P. passé : *-sous, -soute* **4 radicaux :** *-sou-, -solv-, -sol-, -soud-* *je dissou**s**, nous dissolv**ons**, je dissol**us**, je dissoud**rai***	–	**2 occurrences** *absoudre*
96 vendre	Verbes en *-andre, -ondre, -erdre, -ordre* et *-endre*, sauf ceux en *-prendre* P. passé : *-**u**, **ue***	▷ finale en **d** (présent de l'indicatif, 3e pers. sing.) permanence du **d**	**46 occurrences** *attendre, descendre, entendre, fondre, mordre, perdre, rendre, répondre, tordre*, etc.
97 prendre	Verbes en *-prendre* P. passé : *-pris, -prise* **4 radicaux :** *-prend-, -pren-, -prenn-, -pr-* *je prend**s**, nous pren**ons**, ils, elles prenn**ent**, je pris*	▷ finale en **d** (présent de l'indicatif, 3e pers. sing.)	**12 occurrences** *apprendre, comprendre, se déprendre, désapprendre, entreprendre, s'éprendre, se méprendre, rapprendre, réapprendre, reprendre* et *surprendre*
98 peindre	Verbes en *-eindre* P. passé : *-eint, -einte* **3 radicaux :** *-ein-, -eign-, -eind-* *je pein**s**, nous peign**ons**, je peind**rai***	▷ **gn** suivi de **i**	**19 occurrences** *atteindre, ceindre, déteindre, enfreindre, éteindre, repeindre, restreindre, teindre*, etc.
99 craindre	Verbes en *-aindre* P. passé : *-aint, -ainte* **3 radicaux :** *-ain-, -aign-, -aind-* *je crain**s**, nous craign**ons**, je craind**rai***	▷ **gn** suivi de **i**	**3 occurrences** *contraindre* et *plaindre*
100 joindre	Verbes en *-oindre* P. passé : *-oint, -ointe* **3 radicaux :** *-oin-, -oign-, -oind-* *je join**s**, nous joign**ons**, je joind**rai***	▷ **gn** suivi de **i**	**7 occurrences** *adjoindre, disjoindre, enjoindre, oindre, poindre* et *rejoindre*
101 naître ÊTRE	P. passé : ***né, née*** **4 radicaux :** *-nai-, -naiss-, -naqu-, -naît-* *je nai**s**, nous naiss**ons**, je naqu**is**, je naît**rai***	▷ alternance **i, î**	**2 occurrences** *renaître*
102 connaître	P. passé : *-**u**, **ue*** **4 radicaux :** *-nai-, -naiss-, -n-, -naît-* *je connai**s**, nous connaiss**ons**, je conn**us**, je connaît**rai***	▷ alternance **i, î**	**12 occurrences** *apparaître, comparaître, disparaître, méconnaître, paraître, réapparaître, recomparaître, reconnaître, repaître, reparaître* et *transparaître*

VERBE MODÈLE	CARACTÉRISTIQUE	PARTICULARITÉ ORTHOGRAPHIQUE OU DIFFICULTÉ	AUTRES VERBES
103 croître	P. passé : *crû, inv.* **4 radicaux :** *croî-, croiss-, cr-, croît-* *je croîs, nous croissons, je crûs, je croîtrai*	▷ alternance **i, î** ▷ ajout de l'accent circonflexe sur le « î » et sur le « û » pour différencier du verbe *croire*	**1 occurrence**
104 accroître	Verbes en *-croître,* sauf *croître* P. passé : *-cru, ue* **4 radicaux :** *-croi-, -croiss-, -cr-, -croît-* *j'accrois, nous accroissons, j'accrus j'accroîtrai*	▷ alternance **i, î**	**3 occurrences** *décroître* et *recroître*
105 battre	Verbes en *-battre* P. passé : *-battu, ue* **2 radicaux :** *-bat-, -batt-* *je bats, nous battons*	–	**9 occurrences** *abattre, combattre, contrebattre, débattre, s'ébattre, embattre, rabattre* et *rebattre*
106 mettre	Verbes en *-mettre* P. passé : *-mis, -mise* **3 radicaux :** *-met-, -mett-, -m-* *je mets, nous mettons, mis*	–	**16 occurrences** *admettre, commettre, compromettre, décommettre, démettre, émettre, omettre, permettre, promettre, réadmettre, remettre, retransmettre, s'entremettre, soumettre* et *transmettre*
107 frire *Défectif **	P. passé : *frit, frite*	–	**1 occurrence**
108 foutre *Défectif **	Verbes en *-foutre* P. passé : *-foutu, ue* **2 radicaux :** *-fou-, -fout-* *je fous, nous foutons*	–	**3 occurrences** *se contrefoutre* et *refoutre*
109 clore *Défectif **	Verbes en *-clore* P. passé : *-clos, -close*	▷ alternance **o, ô** (seulement pour clore)	**3 occurrences** *éclore* et *enclore*
110 braire *Défectif **	Pas de participe passé	–	**1 occurrence**
110 bruire *Défectif **	Pas de participe passé	–	**1 occurrence**
110 paître *Défectif **	Pas de participe passé	▷ alternance **i, î**	**1 occurrence**

* Les verbes défectifs ne se conjuguent pas à tous les modes ni à tous les temps (consulter les tableaux).

écrire 73

Les verbes *circonscrire, décrire, inscrire, prescrire, proscrire, récrire, réécrire, réinscrire, retranscrire, souscrire* et *transcrire* se conjuguent selon ce modèle.

Indicatif

Présent		Passé composé		
j'	écris	j'	ai	écrit
tu	écris	tu	as	écrit
elle	écrit	elle	a	écrit
nous	écrivons	nous	avons	écrit
vous	écrivez	vous	avez	écrit
elles	écrivent	elles	ont	écrit

Imparfait		Plus-que-parfait		
j'	écrivais	j'	avais	écrit
tu	écrivais	tu	avais	écrit
elle	écrivait	elle	avait	écrit
nous	écrivions	nous	avions	écrit
vous	écriviez	vous	aviez	écrit
elles	écrivaient	elles	avaient	écrit

Passé simple		Passé antérieur		
j'	écrivis	j'	eus	écrit
tu	écrivis	tu	eus	écrit
elle	écrivit	elle	eut	écrit
nous	écrivîmes	nous	eûmes	écrit
vous	écrivîtes	vous	eûtes	écrit
elles	écrivirent	elles	eurent	écrit

Futur simple		Futur antérieur		
j'	écrirai	j'	aurai	écrit
tu	écriras	tu	auras	écrit
elle	écrira	elle	aura	écrit
nous	écrirons	nous	aurons	écrit
vous	écrirez	vous	aurez	écrit
elles	écriront	elles	auront	écrit

Conditionnel présent		Conditionnel passé		
j'	écrirais	j'	aurais	écrit
tu	écrirais	tu	aurais	écrit
elle	écrirait	elle	aurait	écrit
nous	écririons	nous	aurions	écrit
vous	écririez	vous	auriez	écrit
elles	écriraient	elles	auraient	écrit

Subjonctif

Présent *il faut...*		Passé *il faut...*		
que j'	écrive	que j'	aie	écrit
que tu	écrives	que tu	aies	écrit
qu' elle	écrive	qu' elle	ait	écrit
que nous	écrivions	que nous	ayons	écrit
que vous	écriviez	que vous	ayez	écrit
qu' elles	écrivent	qu' elles	aient	écrit

Imparfait *il fallait...*		Plus-que-parfait *il fallait...*		
que j'	écrivisse	que j'	eusse	écrit
que tu	écrivisses	que tu	eusses	écrit
qu' elle	écrivît	qu' elle	eût	écrit
que nous	écrivissions	que nous	eussions	écrit
que vous	écrivissiez	que vous	eussiez	écrit
qu' elles	écrivissent	qu' elles	eussent	écrit

Impératif

Présent	Passé	
écris	aie	écrit
écrivons	ayons	écrit
écrivez	ayez	écrit

Infinitif

Présent	Passé	
écrire	avoir	écrit

Participe

Présent	Passé
écrivant	écrit, ite, its, ites
	ayant écrit

74 dire

▷ À la 2e personne du pluriel du présent de l'indicatif et de l'impératif, le verbe se conjugue *vous dites* et *dites*.

Le verbe *redire* se conjugue selon ce modèle.

Indicatif

Présent		Passé composé		
je	dis	j'	ai	dit
tu	dis	tu	as	dit
il	dit	il	a	dit
nous	disons	nous	avons	dit
vous	dites	vous	avez	dit
ils	disent	ils	ont	dit

Imparfait		Plus-que-parfait		
je	disais	j'	avais	dit
tu	disais	tu	avais	dit
il	disait	il	avait	dit
nous	disions	nous	avions	dit
vous	disiez	vous	aviez	dit
ils	disaient	ils	avaient	dit

Passé simple		Passé antérieur		
je	dis	j'	eus	dit
tu	dis	tu	eus	dit
il	dit	il	eut	dit
nous	dîmes	nous	eûmes	dit
vous	dîtes	vous	eûtes	dit
ils	dirent	ils	eurent	dit

Futur simple		Futur antérieur		
je	dirai	j'	aurai	dit
tu	diras	tu	auras	dit
il	dira	il	aura	dit
nous	dirons	nous	aurons	dit
vous	direz	vous	aurez	dit
ils	diront	ils	auront	dit

Conditionnel présent		Conditionnel passé		
je	dirais	j'	aurais	dit
tu	dirais	tu	aurais	dit
il	dirait	il	aurait	dit
nous	dirions	nous	aurions	dit
vous	diriez	vous	auriez	dit
ils	diraient	ils	auraient	dit

Subjonctif

Présent *il faut...*			Passé *il faut...*			
que	je	dise	que	j'	aie	dit
que	tu	dises	que	tu	aies	dit
qu'	il	dise	qu'	il	ait	dit
que	nous	disions	que	nous	ayons	dit
que	vous	disiez	que	vous	ayez	dit
qu'	ils	disent	qu'	ils	aient	dit

Imparfait *il fallait...*			Plus-que-parfait *il fallait...*			
que	je	disse	que	j'	eusse	dit
que	tu	disses	que	tu	eusses	dit
qu'	il	dît	qu'	il	eût	dit
que	nous	dissions	que	nous	eussions	dit
que	vous	dissiez	que	vous	eussiez	dit
qu'	ils	dissent	qu'	ils	eussent	dit

Impératif

Présent	Passé	
dis	aie	dit
disons	ayons	dit
dites	ayez	dit

Infinitif

Présent	Passé	
dire	avoir	dit

Participe

Présent	Passé
disant	dit, dite, dits, dites
	ayant dit

prédire 75

▷ À la 2e personne du pluriel du présent de l'indicatif et de l'impératif, le verbe se conjugue *vous prédisez* et *prédisez*.
Les verbes *contredire, dédire, interdire* et *médire* se conjuguent selon ce modèle.

Indicatif

Présent		Passé composé		
je	prédis	j'	ai	prédit
tu	prédis	tu	as	prédit
elle	prédit	elle	a	prédit
nous	prédisons	nous	avons	prédit
vous	prédisez	vous	avez	prédit
elles	prédisent	elles	ont	prédit

Imparfait		Plus-que-parfait		
je	prédisais	j'	avais	prédit
tu	prédisais	tu	avais	prédit
elle	prédisait	elle	avait	prédit
nous	prédisions	nous	avions	prédit
vous	prédisiez	vous	aviez	prédit
elles	prédisaient	elles	avaient	prédit

Passé simple		Passé antérieur		
je	prédis	j'	eus	prédit
tu	prédis	tu	eus	prédit
elle	prédit	elle	eut	prédit
nous	prédîmes	nous	eûmes	prédit
vous	prédîtes	vous	eûtes	prédit
elles	prédirent	elles	eurent	prédit

Futur simple		Futur antérieur		
je	prédirai	j'	aurai	prédit
tu	prédiras	tu	auras	prédit
elle	prédira	elle	aura	prédit
nous	prédirons	nous	aurons	prédit
vous	prédirez	vous	aurez	prédit
elles	prédiront	elles	auront	prédit

Conditionnel présent		Conditionnel passé		
je	prédirais	j'	aurais	prédit
tu	prédirais	tu	aurais	prédit
elle	prédirait	elle	aurait	prédit
nous	prédirions	nous	aurions	prédit
vous	prédiriez	vous	auriez	prédit
elles	prédiraient	elles	auraient	prédit

Subjonctif

Présent *il faut...*			Passé *il faut...*			
que	je	prédise	que	j'	aie	prédit
que	tu	prédises	que	tu	aies	prédit
qu'	elle	prédise	qu'	elle	ait	prédit
que	nous	prédisions	que	nous	ayons	prédit
que	vous	prédisiez	que	vous	ayez	prédit
qu'	elles	prédisent	qu'	elles	aient	prédit

Imparfait *il fallait...*			Plus-que-parfait *il fallait...*			
que	je	prédisse	que	j'	eusse	prédit
que	tu	prédisses	que	tu	eusses	prédit
qu'	elle	prédît	qu'	elle	eût	prédit
que	nous	prédissions	que	nous	eussions	prédit
que	vous	prédissiez	que	vous	eussiez	prédit
qu'	elles	prédissent	qu'	elles	eussent	prédit

Impératif

Présent	Passé	
prédis	aie	prédit
prédisons	ayons	prédit
prédisez	ayez	prédit

Infinitif

Présent	Passé	
prédire	avoir	prédit

Participe

Présent	Passé
prédisant	prédit, ite, its, ites
	ayant prédit

76 maudire

Le verbe *maudire* se conjugue comme *finir* (voir le tableau **43**), à l'exception de son participe passé : ***maudit, ite, its, ites.***

Indicatif

Présent		Passé composé		
je	maudis	j'	ai	maudit
tu	maudis	tu	as	maudit
il	maudit	il	a	maudit
nous	maudissons	nous	avons	maudit
vous	maudissez	vous	avez	maudit
ils	maudissent	ils	ont	maudit

Imparfait		Plus-que-parfait		
je	maudissais	j'	avais	maudit
tu	maudissais	tu	avais	maudit
il	maudissait	il	avait	maudit
nous	maudissions	nous	avions	maudit
vous	maudissiez	vous	aviez	maudit
ils	maudissaient	ils	avaient	maudit

Passé simple		Passé antérieur		
je	maudis	j'	eus	maudit
tu	maudis	tu	eus	maudit
il	maudit	il	eut	maudit
nous	maudîmes	nous	eûmes	maudit
vous	maudîtes	vous	eûtes	maudit
ils	maudirent	ils	eurent	maudit

Futur simple		Futur antérieur		
je	maudirai	j'	aurai	maudit
tu	maudiras	tu	auras	maudit
il	maudira	il	aura	maudit
nous	maudirons	nous	aurons	maudit
vous	maudirez	vous	aurez	maudit
ils	maudiront	ils	auront	maudit

Conditionnel présent		Conditionnel passé		
je	maudirais	j'	aurais	maudit
tu	maudirais	tu	aurais	maudit
il	maudirait	il	aurait	maudit
nous	maudirions	nous	aurions	maudit
vous	maudiriez	vous	auriez	maudit
ils	maudiraient	ils	auraient	maudit

Subjonctif

Présent *il faut...*			Passé *il faut...*			
que	je	maudisse	que	j'	aie	maudit
que	tu	maudisses	que	tu	aies	maudit
qu'	il	maudisse	qu'	il	ait	maudit
que	nous	maudissions	que	nous	ayons	maudit
que	vous	maudissiez	que	vous	ayez	maudit
qu'	ils	maudissent	qu'	ils	aient	maudit

Imparfait *il fallait...*			Plus-que-parfait *il fallait...*			
que	je	maudisse	que	j'	eusse	maudit
que	tu	maudisses	que	tu	eusses	maudit
qu'	il	maudît	qu'	il	eût	maudit
que	nous	maudissions	que	nous	eussions	maudit
que	vous	maudissiez	que	vous	eussiez	maudit
qu'	ils	maudissent	qu'	ils	eussent	maudit

Impératif

Présent	Passé	
maudis	aie	maudit
maudissons	ayons	maudit
maudissez	ayez	maudit

Infinitif

Présent	Passé	
maudire	avoir	maudit

Participe

Présent	Passé	
maudissant	maudit, ite, its, ites	
	ayant	maudit

suffire 77

Les verbes *circoncire* et *confire* se conjuguent comme *suffire*. Leurs participes passés sont *circoncis, **ise**, **is**, **ises*** et *confis, **se**, **s**, **ses***.

Indicatif

Présent		Passé composé		
je	suffis	j'	ai	suffi
tu	suffis	tu	as	suffi
elle	suffit	elle	a	suffi
nous	suffisons	nous	avons	suffi
vous	suffisez	vous	avez	suffi
elles	suffisent	elles	ont	suffi

Imparfait		Plus-que-parfait		
je	suffisais	j'	avais	suffi
tu	suffisais	tu	avais	suffi
elle	suffisait	elle	avait	suffi
nous	suffisions	nous	avions	suffi
vous	suffisiez	vous	aviez	suffi
elles	suffisaient	elles	avaient	suffi

Passé simple		Passé antérieur		
je	suffis	j'	eus	suffi
tu	suffis	tu	eus	suffi
elle	suffit	elle	eut	suffi
nous	suffîmes	nous	eûmes	suffi
vous	suffîtes	vous	eûtes	suffi
elles	suffirent	elles	eurent	suffi

Futur simple		Futur antérieur		
je	suffirai	j'	aurai	suffi
tu	suffiras	tu	auras	suffi
elle	suffira	elle	aura	suffi
nous	suffirons	nous	aurons	suffi
vous	suffirez	vous	aurez	suffi
elles	suffiront	elles	auront	suffi

Conditionnel présent		Conditionnel passé		
je	suffirais	j'	aurais	suffi
tu	suffirais	tu	aurais	suffi
elle	suffirait	elle	aurait	suffi
nous	suffirions	nous	aurions	suffi
vous	suffiriez	vous	auriez	suffi
elles	suffiraient	elles	auraient	suffi

Subjonctif

Présent *il faut...*			Passé *il faut...*			
que	je	suffise	que	j'	aie	suffi
que	tu	suffises	que	tu	aies	suffi
qu'	elle	suffise	qu'	elle	ait	suffi
que	nous	suffisions	que	nous	ayons	suffi
que	vous	suffisiez	que	vous	ayez	suffi
qu'	elles	suffisent	qu'	elles	aient	suffi

Imparfait *il fallait...*			Plus-que-parfait *il fallait...*			
que	je	suffisse	que	j'	eusse	suffi
que	tu	suffisses	que	tu	eusses	suffi
qu'	elle	suffît	qu'	elle	eût	suffi
que	nous	suffissions	que	nous	eussions	suffi
que	vous	suffissiez	que	vous	eussiez	suffi
qu'	elles	suffissent	qu'	elles	eussent	suffi

Impératif

Présent	Passé	
suffis	aie	suffi
suffisons	ayons	suffi
suffisez	ayez	suffi

Infinitif

Présent	Passé	
suffire	avoir	suffi

Participe

Présent	Passé	
suffisant	suffi (*invariable*)	
	ayant	suffi

78 lire

Les verbes *élire, réélire* et *relire* se conjuguent selon ce modèle.

Indicatif

Présent		**Passé composé**		
je	lis	j'	ai	lu
tu	lis	tu	as	lu
il	lit	il	a	lu
nous	lisons	nous	avons	lu
vous	lisez	vous	avez	lu
ils	lisent	ils	ont	lu

Imparfait		**Plus-que-parfait**		
je	lisais	j'	avais	lu
tu	lisais	tu	avais	lu
il	lisait	il	avait	lu
nous	lisions	nous	avions	lu
vous	lisiez	vous	aviez	lu
ils	lisaient	ils	avaient	lu

Passé simple		**Passé antérieur**		
je	lus	j'	eus	lu
tu	lus	tu	eus	lu
il	lut	il	eut	lu
nous	lûmes	nous	eûmes	lu
vous	lûtes	vous	eûtes	lu
ils	lurent	ils	eurent	lu

Futur simple		**Futur antérieur**		
je	lirai	j'	aurai	lu
tu	liras	tu	auras	lu
il	lira	il	aura	lu
nous	lirons	nous	aurons	lu
vous	lirez	vous	aurez	lu
ils	liront	ils	auront	lu

Conditionnel présent		**Conditionnel passé**		
je	lirais	j'	aurais	lu
tu	lirais	tu	aurais	lu
il	lirait	il	aurait	lu
nous	lirions	nous	aurions	lu
vous	liriez	vous	auriez	lu
ils	liraient	ils	auraient	lu

Subjonctif

Présent *il faut...*			**Passé** *il faut...*			
que	je	lise	que	j'	aie	lu
que	tu	lises	que	tu	aies	lu
qu'	il	lise	qu'	il	ait	lu
que	nous	lisions	que	nous	ayons	lu
que	vous	lisiez	que	vous	ayez	lu
qu'	ils	lisent	qu'	ils	aient	lu

Imparfait *il fallait...*			**Plus-que-parfait** *il fallait...*			
que	je	lusse	que	j'	eusse	lu
que	tu	lusses	que	tu	eusses	lu
qu'	il	lût	qu'	il	eût	lu
que	nous	lussions	que	nous	eussions	lu
que	vous	lussiez	que	vous	eussiez	lu
qu'	ils	lussent	qu'	ils	eussent	lu

Impératif

Présent	**Passé**	
lis	aie	lu
lisons	ayons	lu
lisez	ayez	lu

Infinitif

Présent	**Passé**	
lire	avoir	lu

Participe

Présent	**Passé**
lisant	lu, lue, lus, lues
	ayant lu

sourire 79

▷ L'imparfait de l'indicatif et le présent du subjonctif comportent « ii ».
Le verbe *rire* se conjugue selon ce modèle.

Indicatif

Présent		Passé composé		
je	souris	j'	ai	souri
tu	souris	tu	as	souri
elle	sourit	elle	a	souri
nous	sourions	nous	avons	souri
vous	souriez	vous	avez	souri
elles	sourient	elles	ont	souri

Imparfait		Plus-que-parfait		
je	souriais	j'	avais	souri
tu	souriais	tu	avais	souri
elle	souriait	elle	avait	souri
nous	souriions	nous	avions	souri
vous	souriiez	vous	aviez	souri
elles	souriaient	elles	avaient	souri

Passé simple		Passé antérieur		
je	souris	j'	eus	souri
tu	souris	tu	eus	souri
elle	sourit	elle	eut	souri
nous	sourîmes	nous	eûmes	souri
vous	sourîtes	vous	eûtes	souri
elles	sourirent	elles	eurent	souri

Futur simple		Futur antérieur		
je	sourirai	j'	aurai	souri
tu	souriras	tu	auras	souri
elle	sourira	elle	aura	souri
nous	sourirons	nous	aurons	souri
vous	sourirez	vous	aurez	souri
elles	souriront	elles	auront	souri

Conditionnel présent		Conditionnel passé		
je	sourirais	j'	aurais	souri
tu	sourirais	tu	aurais	souri
elle	sourirait	elle	aurait	souri
nous	souririons	nous	aurions	souri
vous	souririez	vous	auriez	souri
elles	souriraient	elles	auraient	souri

Subjonctif

Présent *il faut...*			Passé *il faut...*			
que	je	sourie	que	j'	aie	souri
que	tu	souries	que	tu	aies	souri
qu'	elle	sourie	qu'	elle	ait	souri
que	nous	souriions	que	nous	ayons	souri
que	vous	souriiez	que	vous	ayez	souri
qu'	elles	sourient	qu'	elles	aient	souri

Imparfait *il fallait...*			Plus-que-parfait *il fallait...*			
que	je	sourisse	que	j'	eusse	souri
que	tu	sourisses	que	tu	eusses	souri
qu'	elle	sourît	qu'	elle	eût	souri
que	nous	sourissions	que	nous	eussions	souri
que	vous	sourissiez	que	vous	eussiez	souri
qu'	elles	sourissent	qu'	elles	eussent	souri

Impératif

Présent	Passé	
souris	aie	souri
sourions	ayons	souri
souriez	ayez	souri

Infinitif

Présent	Passé	
sourire	avoir	souri

Participe

Présent	Passé	
souriant	souri (*invariable*)	
	ayant	souri

faire

▷ À la 2e personne du pluriel du présent de l'indicatif et de l'impératif, le verbe se conjugue *vous faites* et *faites*.

▷ On écrit *nous faisons*, *faisons* et *faisant*, mais on prononce *f[e]sons* et *f[e]sant.*

Les verbes *contrefaire, défaire, redéfaire, refaire, satisfaire* et *surfaire* se conjuguent selon ce modèle.

Indicatif

Présent		Passé composé		
je	fais	j'	ai	fait
tu	fais	tu	as	fait
il	fait	il	a	fait
nous	faisons	nous	avons	fait
vous	faites	vous	avez	fait
ils	font	ils	ont	fait

Imparfait		Plus-que-parfait		
je	faisais	j'	avais	fait
tu	faisais	tu	avais	fait
il	faisait	il	avait	fait
nous	faisions	nous	avions	fait
vous	faisiez	vous	aviez	fait
ils	faisaient	ils	avaient	fait

Passé simple		Passé antérieur		
je	fis	j'	eus	fait
tu	fis	tu	eus	fait
il	fit	il	eut	fait
nous	fîmes	nous	eûmes	fait
vous	fîtes	vous	eûtes	fait
ils	firent	ils	eurent	fait

Futur simple		Futur antérieur		
je	ferai	j'	aurai	fait
tu	feras	tu	auras	fait
il	fera	il	aura	fait
nous	ferons	nous	aurons	fait
vous	ferez	vous	aurez	fait
ils	feront	ils	auront	fait

Conditionnel présent		Conditionnel passé		
je	ferais	j'	aurais	fait
tu	ferais	tu	aurais	fait
il	ferait	il	aurait	fait
nous	ferions	nous	aurions	fait
vous	feriez	vous	auriez	fait
ils	feraient	ils	auraient	fait

Subjonctif

Présent *il faut...*			Passé *il faut...*			
que	je	fasse	que	j'	aie	fait
que	tu	fasses	que	tu	aies	fait
qu'	il	fasse	qu'	il	ait	fait
que	nous	fassions	que	nous	ayons	fait
que	vous	fassiez	que	vous	ayez	fait
qu'	ils	fassent	qu'	ils	aient	fait

Imparfait *il fallait...*			Plus-que-parfait *il fallait...*			
que	je	fisse	que	j'	eusse	fait
que	tu	fisses	que	tu	eusses	fait
qu'	il	fît	qu'	il	eût	fait
que	nous	fissions	que	nous	eussions	fait
que	vous	fissiez	que	vous	eussiez	fait
qu'	ils	fissent	qu'	ils	eussent	fait

Impératif

Présent	Passé	
fais	aie	fait
faisons	ayons	fait
faites	ayez	fait

Infinitif

Présent	Passé	
faire	avoir	fait

Participe

Présent	Passé	
faisant	fait, faite, faits, faites	
	ayant	fait

plaire 81

▷ À la 3e personne du singulier du présent de l'indicatif, le « i » du radical devient « î » : *il, elle plaît.*

Les verbes *complaire* et *déplaire* se conjuguent selon ce modèle.

Indicatif

Présent		Passé composé		
je	plais	j'	ai	plu
tu	plais	tu	as	plu
elle	plaît	elle	a	plu
nous	plaisons	nous	avons	plu
vous	plaisez	vous	avez	plu
elles	plaisent	elles	ont	plu

Imparfait		Plus-que-parfait		
je	plaisais	j'	avais	plu
tu	plaisais	tu	avais	plu
elle	plaisait	elle	avait	plu
nous	plaisions	nous	avions	plu
vous	plaisiez	vous	aviez	plu
elles	plaisaient	elles	avaient	plu

Passé simple		Passé antérieur		
je	plus	j'	eus	plu
tu	plus	tu	eus	plu
elle	plut	elle	eut	plu
nous	plûmes	nous	eûmes	plu
vous	plûtes	vous	eûtes	plu
elles	plurent	elles	eurent	plu

Futur simple		Futur antérieur		
je	plairai	j'	aurai	plu
tu	plairas	tu	auras	plu
elle	plaira	elle	aura	plu
nous	plairons	nous	aurons	plu
vous	plairez	vous	aurez	plu
elles	plairont	elles	auront	plu

Conditionnel présent		Conditionnel passé		
je	plairais	j'	aurais	plu
tu	plairais	tu	aurais	plu
elle	plairait	elle	aurait	plu
nous	plairions	nous	aurions	plu
vous	plairiez	vous	auriez	plu
elles	plairaient	elles	auraient	plu

Subjonctif

Présent *il faut...*			Passé *il faut...*			
que	je	plaise	que	j'	aie	plu
que	tu	plaises	que	tu	aies	plu
qu'	elle	plaise	qu'	elle	ait	plu
que	nous	plaisions	que	nous	ayons	plu
que	vous	plaisiez	que	vous	ayez	plu
qu'	elles	plaisent	qu'	elles	aient	plu

Imparfait *il fallait...*			Plus-que-parfait *il fallait...*			
que	je	plusse	que	j'	eusse	plu
que	tu	plusses	que	tu	eusses	plu
qu'	elle	plût	qu'	elle	eût	plu
que	nous	plussions	que	nous	eussions	plu
que	vous	plussiez	que	vous	eussiez	plu
qu'	elles	plussent	qu'	elles	eussent	plu

Impératif

Présent	Passé	
plais	aie	plu
plaisons	ayons	plu
plaisez	ayez	plu

Infinitif

Présent	Passé	
plaire	avoir	plu

Participe

Présent	Passé	
plaisant	plu (*invariable*)	
	ayant	plu

82 taire

Le verbe pronominal *se taire* est très usité: *je me tais, tu te tais*, etc. *Je me suis tu, tue, tu t'es tu, tue,* etc.

Indicatif

Présent

je	tais
tu	tais
il	tait
nous	taisons
vous	taisez
ils	taisent

Passé composé

j'	ai	tu
tu	as	tu
il	a	tu
nous	avons	tu
vous	avez	tu
ils	ont	tu

Imparfait

je	taisais
tu	taisais
il	taisait
nous	taisions
vous	taisiez
ils	taisaient

Plus-que-parfait

j'	avais	tu
tu	avais	tu
il	avait	tu
nous	avions	tu
vous	aviez	tu
ils	avaient	tu

Passé simple

je	tus
tu	tus
il	tut
nous	tûmes
vous	tûtes
ils	turent

Passé antérieur

j'	eus	tu
tu	eus	tu
il	eut	tu
nous	eûmes	tu
vous	eûtes	tu
ils	eurent	tu

Futur simple

je	tairai
tu	tairas
il	taira
nous	tairons
vous	tairez
ils	tairont

Futur antérieur

j'	aurai	tu
tu	auras	tu
il	aura	tu
nous	aurons	tu
vous	aurez	tu
ils	auront	tu

Conditionnel présent

je	tairais
tu	tairais
il	tairait
nous	tairions
vous	tairiez
ils	tairaient

Conditionnel passé

j'	aurais	tu
tu	aurais	tu
il	aurait	tu
nous	aurions	tu
vous	auriez	tu
ils	auraient	tu

Subjonctif

Présent

il faut...

que	je	taise
que	tu	taises
qu'	il	taise
que	nous	taisions
que	vous	taisiez
qu'	ils	taisent

Passé

il faut...

que	j'	aie	tu
que	tu	aies	tu
qu'	il	ait	tu
que	nous	ayons	tu
que	vous	ayez	tu
qu'	ils	aient	tu

Imparfait

il fallait...

que	je	tusse
que	tu	tusses
qu'	il	tût
que	nous	tussions
que	vous	tussiez
qu'	ils	tussent

Plus-que-parfait

il fallait...

que	j'	eusse	tu
que	tu	eusses	tu
qu'	il	eût	tu
que	nous	eussions	tu
que	vous	eussiez	tu
qu'	ils	eussent	tu

Impératif

Présent

tais
taisons
taisez

Passé

aie tu
ayons tu
ayez tu

Infinitif

Présent

taire

Passé

avoir tu

Participe

Présent

taisant

Passé

tu, tue, tus, tues
ayant tu

soustraire 83

▷ Le « i » du radical devient parfois « y ».

▷ On conserve les terminaisons ***-ions*** et ***-iez*** malgré la prononciation du « y ».

Les verbes *abstraire, distraire, extraire, raire, rentraire* et *traire* se conjuguent selon ce modèle. Le participe passé *rait* est invariable.

Indicatif

Présent	Passé composé
je soustrais	j' ai soustrait
tu soustrais	tu as soustrait
elle soustrait	elle a soustrait
nous soustrayons	nous avons soustrait
vous soustrayez	vous avez soustrait
elles soustraient	elles ont soustrait

Imparfait	Plus-que-parfait
je soustrayais	j' avais soustrait
tu soustrayais	tu avais soustrait
elle soustrayait	elle avait soustrait
nous soustrayions	nous avions soustrait
vous soustrayiez	vous aviez soustrait
elles soustrayaient	elles avaient soustrait

Passé simple	Passé antérieur
–	j' eus soustrait
–	tu eus soustrait
–	elle eut soustrait
–	nous eûmes soustrait
–	vous eûtes soustrait
–	elles eurent soustrait

Futur simple	Futur antérieur
je soustrairai	j' aurai soustrait
tu soustrairas	tu auras soustrait
elle soustraira	elle aura soustrait
nous soustrairons	nous aurons soustrait
vous soustrairez	vous aurez soustrait
elles soustrairont	elles auront soustrait

Conditionnel présent	Conditionnel passé
je soustrairais	j' aurais soustrait
tu soustrairais	tu aurais soustrait
elle soustrairait	elle aurait soustrait
nous soustrairions	nous aurions soustrait
vous soustrairiez	vous auriez soustrait
elles soustrairaient	elles auraient soustrait

Subjonctif

Présent *il faut...*	Passé *il faut...*
que je soustraie	que j' aie soustrait
que tu soustraies	que tu aies soustrait
qu' elle soustraie	qu' elle ait soustrait
que nous soustrayions	que nous ayons soustrait
que vous soustrayiez	que vous ayez soustrait
qu' elles soustraient	qu' elles aient soustrait

Imparfait	Plus-que-parfait *il fallait...*
–	que j' eusse soustrait
–	que tu eusses soustrait
–	qu' elle eût soustrait
–	que nous eussions soustrait
–	que vous eussiez soustrait
–	qu' elles eussent soustrait

Impératif

Présent	Passé
soustrais	aie soustrait
soustrayons	ayons soustrait
soustrayez	ayez soustrait

Infinitif

Présent	Passé
soustraire	avoir soustrait

Participe

Présent	Passé
soustrayant	soustrait, aite, aits, aites
	ayant soustrait

84 boire

Indicatif

Présent		Passé composé		
je	bois	j'	ai	bu
tu	bois	tu	as	bu
il	boit	il	a	bu
nous	buvons	nous	avons	bu
vous	buvez	vous	avez	bu
ils	boivent	ils	ont	bu

Imparfait		Plus-que-parfait		
je	buvais	j'	avais	bu
tu	buvais	tu	avais	bu
il	buvait	il	avait	bu
nous	buvions	nous	avions	bu
vous	buviez	vous	aviez	bu
ils	buvaient	ils	avaient	bu

Passé simple		Passé antérieur		
je	bus	j'	eus	bu
tu	bus	tu	eus	bu
il	but	il	eut	bu
nous	bûmes	nous	eûmes	bu
vous	bûtes	vous	eûtes	bu
ils	burent	ils	eurent	bu

Futur simple		Futur antérieur		
je	boirai	j'	aurai	bu
tu	boiras	tu	auras	bu
il	boira	il	aura	bu
nous	boirons	nous	aurons	bu
vous	boirez	vous	aurez	bu
ils	boiront	ils	auront	bu

Conditionnel présent		Conditionnel passé		
je	boirais	j'	aurais	bu
tu	boirais	tu	aurais	bu
il	boirait	il	aurait	bu
nous	boirions	nous	aurions	bu
vous	boiriez	vous	auriez	bu
ils	boiraient	ils	auraient	bu

Subjonctif

Présent *il faut...*			Passé *il faut...*			
que	je	boive	que	j'	aie	bu
que	tu	boives	que	tu	aies	bu
qu'	il	boive	qu'	il	ait	bu
que	nous	buvions	que	nous	ayons	bu
que	vous	buviez	que	vous	ayez	bu
qu'	ils	boivent	qu'	ils	aient	bu

Imparfait *il fallait...*			Plus-que-parfait *il fallait...*			
que	je	busse	que	j'	eusse	bu
que	tu	busses	que	tu	eusses	bu
qu'	il	bût	qu'	il	eût	bu
que	nous	bussions	que	nous	eussions	bu
que	vous	bussiez	que	vous	eussiez	bu
qu'	ils	bussent	qu'	ils	eussent	bu

Impératif

Présent	Passé	
bois	aie	bu
buvons	ayons	bu
buvez	ayez	bu

Infinitif

Présent	Passé	
boire	avoir	bu

Participe

Présent	Passé
buvant	bu, bue, bus, bues
	ayant bu

croire 85

▷ Le « i » du radical devient parfois « y ».
▷ On conserve les terminaisons *-ions* et *-iez* malgré la prononciation du « y ».

Indicatif

Présent		Passé composé		
je	crois	j'	ai	cru
tu	crois	tu	as	cru
elle	croit	elle	a	cru
nous	croyons	nous	avons	cru
vous	croyez	vous	avez	cru
elles	croient	elles	ont	cru

Imparfait		Plus-que-parfait		
je	croyais	j'	avais	cru
tu	croyais	tu	avais	cru
elle	croyait	elle	avait	cru
nous	croyions	nous	avions	cru
vous	croyiez	vous	aviez	cru
elles	croyaient	elles	avaient	cru

Passé simple		Passé antérieur		
je	crus	j'	eus	cru
tu	crus	tu	eus	cru
elle	crut	elle	eut	cru
nous	crûmes	nous	eûmes	cru
vous	crûtes	vous	eûtes	cru
elles	crurent	elles	eurent	cru

Futur simple		Futur antérieur		
je	croirai	j'	aurai	cru
tu	croiras	tu	auras	cru
elle	croira	elle	aura	cru
nous	croirons	nous	aurons	cru
vous	croirez	vous	aurez	cru
elles	croiront	elles	auront	cru

Conditionnel présent		Conditionnel passé		
je	croirais	j'	aurais	cru
tu	croirais	tu	aurais	cru
elle	croirait	elle	aurait	cru
nous	croirions	nous	aurions	cru
vous	croiriez	vous	auriez	cru
elles	croiraient	elles	auraient	cru

Subjonctif

Présent *il faut...*		Passé *il faut...*		
que je	croie	que j'	aie	cru
que tu	croies	que tu	aies	cru
qu' elle	croie	qu' elle	ait	cru
que nous	croyions	que nous	ayons	cru
que vous	croyiez	que vous	ayez	cru
qu' elles	croient	qu' elles	aient	cru

Imparfait *il fallait...*		Plus-que-parfait *il fallait...*		
que je	crusse	que j'	eusse	cru
que tu	crusses	que tu	eusses	cru
qu' elle	crût	qu' elle	eût	cru
que nous	crussions	que nous	eussions	cru
que vous	crussiez	que vous	eussiez	cru
qu' elles	crussent	qu' elles	eussent	cru

Impératif

Présent	Passé	
crois	aie	cru
croyons	ayons	cru
croyez	ayez	cru

Infinitif

Présent	Passé	
croire	avoir	cru

Participe

Présent	Passé
croyant	cru, crue, crus, crues
	ayant cru

86 produire

Parmi les verbes se conjuguant selon ce modèle, on trouve *conduire, construire, cuire, déduire, détruire, instruire, introduire, luire, nuire, reconduire, réduire, reluire, reproduire, séduire*. Les participes passés *lui, nui* et *relui* sont invariables.

Indicatif

Présent		Passé composé		
je	produis	j'	ai	produit
tu	produis	tu	as	produit
il	produit	il	a	produit
nous	produisons	nous	avons	produit
vous	produisez	vous	avez	produit
ils	produisent	ils	ont	produit

Imparfait		Plus-que-parfait		
je	produisais	j'	avais	produit
tu	produisais	tu	avais	produit
il	produisait	il	avait	produit
nous	produisions	nous	avions	produit
vous	produisiez	vous	aviez	produit
ils	produisaient	ils	avaient	produit

Passé simple		Passé antérieur		
je	produisis	j'	eus	produit
tu	produisis	tu	eus	produit
il	produisit	il	eut	produit
nous	produisîmes	nous	eûmes	produit
vous	produisîtes	vous	eûtes	produit
ils	produisirent	ils	eurent	produit

Futur simple		Futur antérieur		
je	produirai	j'	aurai	produit
tu	produiras	tu	auras	produit
il	produira	il	aura	produit
nous	produirons	nous	aurons	produit
vous	produirez	vous	aurez	produit
ils	produiront	ils	auront	produit

Conditionnel présent		Conditionnel passé		
je	produirais	j'	aurais	produit
tu	produirais	tu	aurais	produit
il	produirait	il	aurait	produit
nous	produirions	nous	aurions	produit
vous	produiriez	vous	auriez	produit
ils	produiraient	ils	auraient	produit

Subjonctif

Présent *il faut...*		Passé *il faut...*		
que je	produise	que j'	aie	produit
que tu	produises	que tu	aies	produit
qu' il	produise	qu' il	ait	produit
que nous	produisions	que nous	ayons	produit
que vous	produisiez	que vous	ayez	produit
qu' ils	produisent	qu' ils	aient	produit

Imparfait *il fallait...*		Plus-que-parfait *il fallait...*		
que je	produisisse	que j'	eusse	produit
que tu	produisisses	que tu	eusses	produit
qu' il	produisît	qu' il	eût	produit
que nous	produisissions	que nous	eussions	produit
que vous	produisissiez	que vous	eussiez	produit
qu' ils	produisissent	qu' ils	eussent	produit

Impératif

Présent	Passé	
produis	aie	produit
produisons	ayons	produit
produisez	ayez	produit

Infinitif

Présent	Passé	
produire	avoir	produit

Participe

Présent	Passé	
produisant	produit, uite, uits, uites	
	ayant	produit

rompre 87

On conserve toujours le « p » du radical de base.
Les verbes *corrompre* et *interrompre* se conjuguent selon ce modèle.

Indicatif

Présent		Passé composé		
je	romps	j'	ai	rompu
tu	romps	tu	as	rompu
elle	rompt	elle	a	rompu
nous	rompons	nous	avons	rompu
vous	rompez	vous	avez	rompu
elles	rompent	elles	ont	rompu

Imparfait		Plus-que-parfait		
je	rompais	j'	avais	rompu
tu	rompais	tu	avais	rompu
elle	rompait	elle	avait	rompu
nous	rompions	nous	avions	rompu
vous	rompiez	vous	aviez	rompu
elles	rompaient	elles	avaient	rompu

Passé simple		Passé antérieur		
je	rompis	j'	eus	rompu
tu	rompis	tu	eus	rompu
elle	rompit	elle	eut	rompu
nous	rompîmes	nous	eûmes	rompu
vous	rompîtes	vous	eûtes	rompu
elles	rompirent	elles	eurent	rompu

Futur simple		Futur antérieur		
je	romprai	j'	aurai	rompu
tu	rompras	tu	auras	rompu
elle	rompra	elle	aura	rompu
nous	romprons	nous	aurons	rompu
vous	romprez	vous	aurez	rompu
elles	rompront	elles	auront	rompu

Conditionnel présent		Conditionnel passé		
je	romprais	j'	aurais	rompu
tu	romprais	tu	aurais	rompu
elle	romprait	elle	aurait	rompu
nous	romprions	nous	aurions	rompu
vous	rompriez	vous	auriez	rompu
elles	rompraient	elles	auraient	rompu

Subjonctif

Présent *il faut...*			Passé *il faut...*			
que	je	rompe	que	j'	aie	rompu
que	tu	rompes	que	tu	aies	rompu
qu'	elle	rompe	qu'	elle	ait	rompu
que	nous	rompions	que	nous	ayons	rompu
que	vous	rompiez	que	vous	ayez	rompu
qu'	elles	rompent	qu'	elles	aient	rompu

Imparfait *il fallait...*			Plus-que-parfait *il fallait...*			
que	je	rompisse	que	j'	eusse	rompu
que	tu	rompisses	que	tu	eusses	rompu
qu'	elle	rompît	qu'	elle	eût	rompu
que	nous	rompissions	que	nous	eussions	rompu
que	vous	rompissiez	que	vous	eussiez	rompu
qu'	elles	rompissent	qu'	elles	eussent	rompu

Impératif

Présent	Passé	
romps	aie	rompu
rompons	ayons	rompu
rompez	ayez	rompu

Infinitif

Présent	Passé	
rompre	avoir	rompu

Participe

Présent	Passé	
rompant	rompu, ue, us, ues	
	ayant	rompu

88 conclure

Les verbes *exclure, inclure* et *occlure* se conjuguent selon ce modèle. Leurs participes passés sont *exclu, **ue, us, ues**, inclus, **use, us, uses*** et *occlus, **use, us, uses***.

Indicatif

Présent		Passé composé		
je	conclus	j'	ai	conclu
tu	conclus	tu	as	conclu
il	conclut	il	a	conclu
nous	concluons	nous	avons	conclu
vous	concluez	vous	avez	conclu
ils	concluent	ils	ont	conclu

Imparfait		Plus-que-parfait		
je	concluais	j'	avais	conclu
tu	concluais	tu	avais	conclu
il	concluait	il	avait	conclu
nous	concluions	nous	avions	conclu
vous	concluiez	vous	aviez	conclu
ils	concluaient	ils	avaient	conclu

Passé simple		Passé antérieur		
je	conclus	j'	eus	conclu
tu	conclus	tu	eus	conclu
il	conclut	il	eut	conclu
nous	conclûmes	nous	eûmes	conclu
vous	conclûtes	vous	eûtes	conclu
ils	conclurent	ils	eurent	conclu

Futur simple		Futur antérieur		
je	conclurai	j'	aurai	conclu
tu	concluras	tu	auras	conclu
il	conclura	il	aura	conclu
nous	conclurons	nous	aurons	conclu
vous	conclurez	vous	aurez	conclu
ils	concluront	ils	auront	conclu

Conditionnel présent		Conditionnel passé		
je	conclurais	j'	aurais	conclu
tu	conclurais	tu	aurais	conclu
il	conclurait	il	aurait	conclu
nous	conclurions	nous	aurions	conclu
vous	concluriez	vous	auriez	conclu
ils	concluraient	ils	auraient	conclu

Subjonctif

Présent *il faut...*		Passé *il faut...*		
que je	conclue	que j'	aie	conclu
que tu	conclues	que tu	aies	conclu
qu' il	conclue	qu' il	ait	conclu
que nous	concluions	que nous	ayons	conclu
que vous	concluiez	que vous	ayez	conclu
qu' ils	concluent	qu' ils	aient	conclu

Imparfait *il fallait...*		Plus-que-parfait *il fallait...*		
que je	conclusse	que j'	eusse	conclu
que tu	conclusses	que tu	eusses	conclu
qu' il	conclût	qu' il	eût	conclu
que nous	conclussions	que nous	eussions	conclu
que vous	conclussiez	que vous	eussiez	conclu
qu' ils	conclussent	qu' ils	eussent	conclu

Impératif

Présent	Passé	
conclus	aie	conclu
concluons	ayons	conclu
concluez	ayez	conclu

Infinitif

Présent	Passé	
conclure	avoir	conclu

Participe

Présent	Passé	
concluant	conclu, ue, us, ues	
	ayant	conclu

vaincre 89

▷ Au présent de l'indicatif, la 3e personne du singulier se termine par un « c » muet : *il, elle vainc*.

▷ Le « c » du radical devient parfois « qu ».
Le verbe *convaincre* se conjugue selon ce modèle.

Indicatif

Présent

je	vaincs
tu	vaincs
elle	vainc
nous	vainquons
vous	vainquez
elles	vainquent

Passé composé

j'	ai	vaincu
tu	as	vaincu
elle	a	vaincu
nous	avons	vaincu
vous	avez	vaincu
elles	ont	vaincu

Imparfait

je	vainquais
tu	vainquais
elle	vainquait
nous	vainquions
vous	vainquiez
elles	vainquaient

Plus-que-parfait

j'	avais	vaincu
tu	avais	vaincu
elle	avait	vaincu
nous	avions	vaincu
vous	aviez	vaincu
elles	avaient	vaincu

Passé simple

je	vainquis
tu	vainquis
elle	vainquit
nous	vainquîmes
vous	vainquîtes
elles	vainquirent

Passé antérieur

j'	eus	vaincu
tu	eus	vaincu
elle	eut	vaincu
nous	eûmes	vaincu
vous	eûtes	vaincu
elles	eurent	vaincu

Futur simple

je	vaincrai
tu	vaincras
elle	vaincra
nous	vaincrons
vous	vaincrez
elles	vaincront

Futur antérieur

j'	aurai	vaincu
tu	auras	vaincu
elle	aura	vaincu
nous	aurons	vaincu
vous	aurez	vaincu
elles	auront	vaincu

Conditionnel présent

je	vaincrais
tu	vaincrais
elle	vaincrait
nous	vaincrions
vous	vaincriez
elles	vaincraient

Conditionnel passé

j'	aurais	vaincu
tu	aurais	vaincu
elle	aurait	vaincu
nous	aurions	vaincu
vous	auriez	vaincu
elles	auraient	vaincu

Subjonctif

Présent
il faut...

que	je	vainque
que	tu	vainques
qu'	elle	vainque
que	nous	vainquions
que	vous	vainquiez
qu'	elles	vainquent

Passé
il faut...

que	j'	aie	vaincu
que	tu	aies	vaincu
qu'	elle	ait	vaincu
que	nous	ayons	vaincu
que	vous	ayez	vaincu
qu'	elles	aient	vaincu

Imparfait
il fallait...

que	je	vainquisse
que	tu	vainquisses
qu'	elle	vainquît
que	nous	vainquissions
que	vous	vainquissiez
qu'	elles	vainquissent

Plus-que-parfait
il fallait...

que	j'	eusse	vaincu
que	tu	eusses	vaincu
qu'	elle	eût	vaincu
que	nous	eussions	vaincu
que	vous	eussiez	vaincu
qu'	elles	eussent	vaincu

Impératif

Présent

vaincs
vainquons
vainquez

Passé

aie	vaincu
ayons	vaincu
ayez	vaincu

Infinitif

Présent

vaincre

Passé

avoir vaincu

Participe

Présent

vainquant

Passé

vaincu, ue, us, ues
ayant vaincu

vivre

▷ Au passé simple, à l'imparfait du subjonctif et au participe passé, le radical devient « *véc-* ».

Les verbes *revivre* et *survivre* se conjuguent selon ce modèle. Le participe passé *survécu* est invariable.

Indicatif

Présent		Passé composé		
je	vis	j'	ai	vécu
tu	vis	tu	as	vécu
il	vit	il	a	vécu
nous	vivons	nous	avons	vécu
vous	vivez	vous	avez	vécu
ils	vivent	ils	ont	vécu

Imparfait		Plus-que-parfait		
je	vivais	j'	avais	vécu
tu	vivais	tu	avais	vécu
il	vivait	il	avait	vécu
nous	vivions	nous	avions	vécu
vous	viviez	vous	aviez	vécu
ils	vivaient	ils	avaient	vécu

Passé simple		Passé antérieur		
je	vécus	j'	eus	vécu
tu	vécus	tu	eus	vécu
il	vécut	il	eut	vécu
nous	vécûmes	nous	eûmes	vécu
vous	vécûtes	vous	eûtes	vécu
ils	vécurent	ils	eurent	vécu

Futur simple		Futur antérieur		
je	vivrai	j'	aurai	vécu
tu	vivras	tu	auras	vécu
il	vivra	il	aura	vécu
nous	vivrons	nous	aurons	vécu
vous	vivrez	vous	aurez	vécu
ils	vivront	ils	auront	vécu

Conditionnel présent		Conditionnel passé		
je	vivrais	j'	aurais	vécu
tu	vivrais	tu	aurais	vécu
il	vivrait	il	aurait	vécu
nous	vivrions	nous	aurions	vécu
vous	vivriez	vous	auriez	vécu
ils	vivraient	ils	auraient	vécu

Subjonctif

Présent *il faut…*			Passé *il faut…*			
que	je	vive	que	j'	aie	vécu
que	tu	vives	que	tu	aies	vécu
qu'	il	vive	qu'	il	ait	vécu
que	nous	vivions	que	nous	ayons	vécu
que	vous	viviez	que	vous	ayez	vécu
qu'	ils	vivent	qu'	ils	aient	vécu

Imparfait *il fallait…*			Plus-que-parfait *il fallait…*			
que	je	vécusse	que	j'	eusse	vécu
que	tu	vécusses	que	tu	eusses	vécu
qu'	il	vécût	qu'	il	eût	vécu
que	nous	vécussions	que	nous	eussions	vécu
que	vous	vécussiez	que	vous	eussiez	vécu
qu'	ils	vécussent	qu'	ils	eussent	vécu

Impératif

Présent	Passé	
vis	aie	vécu
vivons	ayons	vécu
vivez	ayez	vécu

Infinitif

Présent	Passé	
vivre	avoir	vécu

Participe

Présent	Passé	
vivant	vécu, ue, us, ues	
	ayant	vécu

suivre 91

Les verbes *s'ensuivre* PR et *poursuivre* se conjuguent selon ce modèle.

Indicatif

Présent		Passé composé		
je	suis	j'	ai	suivi
tu	suis	tu	as	suivi
elle	suit	elle	a	suivi
nous	suivons	nous	avons	suivi
vous	suivez	vous	avez	suivi
elles	suivent	elles	ont	suivi

Imparfait		Plus-que-parfait		
je	suivais	j'	avais	suivi
tu	suivais	tu	avais	suivi
elle	suivait	elle	avait	suivi
nous	suivions	nous	avions	suivi
vous	suiviez	vous	aviez	suivi
elles	suivaient	elles	avaient	suivi

Passé simple		Passé antérieur		
je	suivis	j'	eus	suivi
tu	suivis	tu	eus	suivi
elle	suivit	elle	eut	suivi
nous	suivîmes	nous	eûmes	suivi
vous	suivîtes	vous	eûtes	suivi
elles	suivirent	elles	eurent	suivi

Futur simple		Futur antérieur		
je	suivrai	j'	aurai	suivi
tu	suivras	tu	auras	suivi
elle	suivra	elle	aura	suivi
nous	suivrons	nous	aurons	suivi
vous	suivrez	vous	aurez	suivi
elles	suivront	elles	auront	suivi

Conditionnel présent		Conditionnel passé		
je	suivrais	j'	aurais	suivi
tu	suivrais	tu	aurais	suivi
elle	suivrait	elle	aurait	suivi
nous	suivrions	nous	aurions	suivi
vous	suivriez	vous	auriez	suivi
elles	suivraient	elles	auraient	suivi

Subjonctif

Présent *il faut...*		Passé *il faut...*		
que je	suive	que j'	aie	suivi
que tu	suives	que tu	aies	suivi
qu' elle	suive	qu' elle	ait	suivi
que nous	suivions	que nous	ayons	suivi
que vous	suiviez	que vous	ayez	suivi
qu' elles	suivent	qu' elles	aient	suivi

Imparfait *il fallait...*		Plus-que-parfait *il fallait...*		
que je	suivisse	que j'	eusse	suivi
que tu	suivisses	que tu	eusses	suivi
qu' elle	suivît	qu' elle	eût	suivi
que nous	suivissions	que nous	eussions	suivi
que vous	suivissiez	que vous	eussiez	suivi
qu' elles	suivissent	qu' elles	eussent	suivi

Impératif

Présent	Passé	
suis	aie	suivi
suivons	ayons	suivi
suivez	ayez	suivi

Infinitif

Présent	Passé	
suivre	avoir	suivi

Participe

Présent	Passé	
suivant	suivi, ie, is, ies	
	ayant	suivi

92 coudre

▷ Au présent de l'indicatif, la 3e personne du singulier se termine par un « **d** » : *il, elle coud*.

Les verbes *découdre* et *recoudre* se conjuguent selon ce modèle.

Indicatif

Présent		Passé composé		
je	couds	j'	ai	cousu
tu	couds	tu	as	cousu
il	cou**d**	il	a	cousu
nous	cous**ons**	nous	avons	cousu
vous	cous**ez**	vous	avez	cousu
ils	cous**ent**	ils	ont	cousu

Imparfait		Plus-que-parfait		
je	cous**ais**	j'	avais	cousu
tu	cous**ais**	tu	avais	cousu
il	cous**ait**	il	avait	cousu
nous	cous**ions**	nous	avions	cousu
vous	cous**iez**	vous	aviez	cousu
ils	cous**aient**	ils	avaient	cousu

Passé simple		Passé antérieur		
je	cous**is**	j'	eus	cousu
tu	cous**is**	tu	eus	cousu
il	cous**it**	il	eut	cousu
nous	cous**îmes**	nous	eûmes	cousu
vous	cous**îtes**	vous	eûtes	cousu
ils	cous**irent**	ils	eurent	cousu

Futur simple		Futur antérieur		
je	coud**rai**	j'	aurai	cousu
tu	coud**ras**	tu	auras	cousu
il	coud**ra**	il	aura	cousu
nous	coud**rons**	nous	aurons	cousu
vous	coud**rez**	vous	aurez	cousu
ils	coud**ront**	ils	auront	cousu

Conditionnel présent		Conditionnel passé		
je	coud**rais**	j'	aurais	cousu
tu	coud**rais**	tu	aurais	cousu
il	coud**rait**	il	aurait	cousu
nous	coud**rions**	nous	aurions	cousu
vous	coud**riez**	vous	auriez	cousu
ils	coud**raient**	ils	auraient	cousu

Subjonctif

Présent *il faut…*			Passé *il faut…*			
que	je	cous**e**	que	j'	aie	cousu
que	tu	cous**es**	que	tu	aies	cousu
qu'	il	cous**e**	qu'	il	ait	cousu
que	nous	cous**ions**	que	nous	ayons	cousu
que	vous	cous**iez**	que	vous	ayez	cousu
qu'	ils	cous**ent**	qu'	ils	aient	cousu

Imparfait *il fallait…*			Plus-que-parfait *il fallait…*			
que	je	cous**isse**	que	j'	eusse	cousu
que	tu	cous**isses**	que	tu	eusses	cousu
qu'	il	cous**ît**	qu'	il	eût	cousu
que	nous	cous**issions**	que	nous	eussions	cousu
que	vous	cous**issiez**	que	vous	eussiez	cousu
qu'	ils	cous**issent**	qu'	ils	eussent	cousu

Impératif

Présent	Passé	
couds	aie	cousu
cous**ons**	ayons	cousu
cous**ez**	ayez	cousu

Infinitif

Présent	Passé	
coud**re**	avoir	cousu

Participe

Présent	Passé	
cous**ant**	cous**u, ue, us, ues**	
	ayant	cousu

moudre 93

▷ Au présent de l'indicatif, la 3e personne du singulier se termine par un « **d** » : *il, elle mou**d**.*

Indicatif

Présent

je	mouds
tu	mouds
elle	mou**d**
nous	moul**ons**
vous	moul**ez**
elles	moul**ent**

Passé composé

j'	ai	moulu
tu	as	moulu
elle	a	moulu
nous	avons	moulu
vous	avez	moulu
elles	ont	moulu

Imparfait

je	moul**ais**
tu	moul**ais**
elle	moul**ait**
nous	moul**ions**
vous	moul**iez**
elles	moul**aient**

Plus-que-parfait

j'	avais	moulu
tu	avais	moulu
elle	avait	moulu
nous	avions	moulu
vous	aviez	moulu
elles	avaient	moulu

Passé simple

je	moul**us**
tu	moul**us**
elle	moul**ut**
nous	moul**ûmes**
vous	moul**ûtes**
elles	moul**urent**

Passé antérieur

j'	eus	moulu
tu	eus	moulu
elle	eut	moulu
nous	eûmes	moulu
vous	eûtes	moulu
elles	eurent	moulu

Futur simple

je	moud**rai**
tu	moud**ras**
elle	moud**ra**
nous	moud**rons**
vous	moud**rez**
elles	moud**ront**

Futur antérieur

j'	aurai	moulu
tu	auras	moulu
elle	aura	moulu
nous	aurons	moulu
vous	aurez	moulu
elles	auront	moulu

Conditionnel présent

je	moud**rais**
tu	moud**rais**
elle	moud**rait**
nous	moud**rions**
vous	moud**riez**
elles	moud**raient**

Conditionnel passé

j'	aurais	moulu
tu	aurais	moulu
elle	aurait	moulu
nous	aurions	moulu
vous	auriez	moulu
elles	auraient	moulu

Subjonctif

Présent
il faut…

que	je	moul**e**
que	tu	moul**es**
qu'	elle	moul**e**
que	nous	moul**ions**
que	vous	moul**iez**
qu'	elles	moul**ent**

Passé
il faut…

que	j'	aie	moulu
que	tu	aies	moulu
qu'	elle	ait	moulu
que	nous	ayons	moulu
que	vous	ayez	moulu
qu'	elles	aient	moulu

Imparfait
il fallait…

que	je	moul**usse**
que	tu	moul**usses**
qu'	elle	moul**ût**
que	nous	moul**ussions**
que	vous	moul**ussiez**
qu'	elles	moul**ussent**

Plus-que-parfait
il fallait…

que	j'	eusse	moulu
que	tu	eusses	moulu
qu'	elle	eût	moulu
que	nous	eussions	moulu
que	vous	eussiez	moulu
qu'	elles	eussent	moulu

Impératif

Présent

mouds
moul**ons**
moul**ez**

Passé

aie	moulu
ayons	moulu
ayez	moulu

Infinitif

Présent

moudre

Passé

avoir moulu

Participe

Présent

moul**ant**

Passé

moul**u**, **ue**, **us**, **ues**
ayant moulu

94 résoudre

Indicatif

Présent

je	résous
tu	résous
il	résout
nous	résolvons
vous	résolvez
ils	résolvent

Passé composé

j'	ai	résolu
tu	as	résolu
il	a	résolu
nous	avons	résolu
vous	avez	résolu
ils	ont	résolu

Imparfait

je	résolvais
tu	résolvais
il	résolvait
nous	résolvions
vous	résolviez
ils	résolvaient

Plus-que-parfait

j'	avais	résolu
tu	avais	résolu
il	avait	résolu
nous	avions	résolu
vous	aviez	résolu
ils	avaient	résolu

Passé simple

je	résolus
tu	résolus
il	résolut
nous	résolûmes
vous	résolûtes
ils	résolurent

Passé antérieur

j'	eus	résolu
tu	eus	résolu
il	eut	résolu
nous	eûmes	résolu
vous	eûtes	résolu
ils	eurent	résolu

Futur simple

je	résoudrai
tu	résoudras
il	résoudra
nous	résoudrons
vous	résoudrez
ils	résoudront

Futur antérieur

j'	aurai	résolu
tu	auras	résolu
il	aura	résolu
nous	aurons	résolu
vous	aurez	résolu
ils	auront	résolu

Conditionnel présent

je	résoudrais
tu	résoudrais
il	résoudrait
nous	résoudrions
vous	résoudriez
ils	résoudraient

Conditionnel passé

j'	aurais	résolu
tu	aurais	résolu
il	aurait	résolu
nous	aurions	résolu
vous	auriez	résolu
ils	auraient	résolu

Subjonctif

Présent
il faut…

que	je	résolve
que	tu	résolves
qu'	il	résolve
que	nous	résolvions
que	vous	résolviez
qu'	ils	résolvent

Passé
il faut…

que	j'	aie	résolu
que	tu	aies	résolu
qu'	il	ait	résolu
que	nous	ayons	résolu
que	vous	ayez	résolu
qu'	ils	aient	résolu

Imparfait
il fallait…

que	je	résolusse
que	tu	résolusses
qu'	il	résolût
que	nous	résolussions
que	vous	résolussiez
qu'	ils	résolussent

Plus-que-parfait
il fallait…

que	j'	eusse	résolu
que	tu	eusses	résolu
qu'	il	eût	résolu
que	nous	eussions	résolu
que	vous	eussiez	résolu
qu'	ils	eussent	résolu

Impératif

Présent

résous
résolvons
résolvez

Passé

aie	résolu
ayons	résolu
ayez	résolu

Infinitif

Présent

résoudre

Passé

avoir résolu

Participe

Présent

résolvant

Passé

résolu, ue, us, ues
ayant résolu

dissoudre 95

Le verbe *absoudre* se conjugue selon ce modèle.

Indicatif

Présent		Passé composé		
je	dissous	j'	ai	dissous
tu	dissous	tu	as	dissous
elle	dissout	elle	a	dissous
nous	dissolvons	nous	avons	dissous
vous	dissolvez	vous	avez	dissous
elles	dissolvent	elles	ont	dissous

Imparfait		Plus-que-parfait		
je	dissolvais	j'	avais	dissous
tu	dissolvais	tu	avais	dissous
elle	dissolvait	elle	avait	dissous
nous	dissolvions	nous	avions	dissous
vous	dissolviez	vous	aviez	dissous
elles	dissolvaient	elles	avaient	dissous

Passé simple (rare)		Passé antérieur		
je	dissolus	j'	eus	dissous
tu	dissolus	tu	eus	dissous
elle	dissolut	elle	eut	dissous
nous	dissolûmes	nous	eûmes	dissous
vous	dissolûtes	vous	eûtes	dissous
elles	dissolurent	elles	eurent	dissous

Futur simple		Futur antérieur		
je	dissoudrai	j'	aurai	dissous
tu	dissoudras	tu	auras	dissous
elle	dissoudra	elle	aura	dissous
nous	dissoudrons	nous	aurons	dissous
vous	dissoudrez	vous	aurez	dissous
elles	dissoudront	elles	auront	dissous

Conditionnel présent		Conditionnel passé		
je	dissoudrais	j'	aurais	dissous
tu	dissoudrais	tu	aurais	dissous
elle	dissoudrait	elle	aurait	dissous
nous	dissoudrions	nous	aurions	dissous
vous	dissoudriez	vous	auriez	dissous
elles	dissoudraient	elles	auraient	dissous

Subjonctif

Présent *il faut...*			Passé *il faut...*			
que	je	dissolve	que	j'	aie	dissous
que	tu	dissolves	que	tu	aies	dissous
qu'	elle	dissolve	qu'	elle	ait	dissous
que	nous	dissolvions	que	nous	ayons	dissous
que	vous	dissolviez	que	vous	ayez	dissous
qu'	elles	dissolvent	qu'	elles	aient	dissous

Imparfait *il fallait...*			Plus-que-parfait *il fallait...*			
que	je	dissolusse	que	j'	eusse	dissous
que	tu	dissolusses	que	tu	eusses	dissous
qu'	elle	dissolût	qu'	elle	eût	dissous
que	nous	dissolussions	que	nous	eussions	dissous
que	vous	dissolussiez	que	vous	eussiez	dissous
qu'	elles	dissolussent	qu'	elles	eussent	dissous

Impératif

Présent	Passé	
dissous	aie	dissous
dissolvons	ayons	dissous
dissolvez	ayez	dissous

Infinitif

Présent	Passé	
dissoudre	avoir	dissous

Participe

Présent	Passé
dissolvant	dissous, oute, ous, outes
	ayant dissous

vendre

▷ Au présent de l'indicatif, la 3e personne du singulier se termine par un « **d** » : *il, elle vend*. On conserve toujours le « d » du radical.

Parmi les verbes se conjuguant selon ce modèle, on trouve *attendre, descendre* A/E, *entendre, fondre, mordre, perdre, rendre, répondre* et *tordre*.

Indicatif

Présent		Passé composé		
je	vends	j'	ai	vendu
tu	vends	tu	as	vendu
il	vend	il	a	vendu
nous	vendons	nous	avons	vendu
vous	vendez	vous	avez	vendu
ils	vendent	ils	ont	vendu

Imparfait		Plus-que-parfait		
je	vendais	j'	avais	vendu
tu	vendais	tu	avais	vendu
il	vendait	il	avait	vendu
nous	vendions	nous	avions	vendu
vous	vendiez	vous	aviez	vendu
ils	vendaient	ils	avaient	vendu

Passé simple		Passé antérieur		
je	vendis	j'	eus	vendu
tu	vendis	tu	eus	vendu
il	vendit	il	eut	vendu
nous	vendîmes	nous	eûmes	vendu
vous	vendîtes	vous	eûtes	vendu
ils	vendirent	ils	eurent	vendu

Futur simple		Futur antérieur		
je	vendrai	j'	aurai	vendu
tu	vendras	tu	auras	vendu
il	vendra	il	aura	vendu
nous	vendrons	nous	aurons	vendu
vous	vendrez	vous	aurez	vendu
ils	vendront	ils	auront	vendu

Conditionnel présent		Conditionnel passé		
je	vendrais	j'	aurais	vendu
tu	vendrais	tu	aurais	vendu
il	vendrait	il	aurait	vendu
nous	vendrions	nous	aurions	vendu
vous	vendriez	vous	auriez	vendu
ils	vendraient	ils	auraient	vendu

Subjonctif

Présent *il faut...*			Passé *il faut...*			
que	je	vende	que	j'	aie	vendu
que	tu	vendes	que	tu	aies	vendu
qu'	il	vende	qu'	il	ait	vendu
que	nous	vendions	que	nous	ayons	vendu
que	vous	vendiez	que	vous	ayez	vendu
qu'	ils	vendent	qu'	ils	aient	vendu

Imparfait *il fallait...*			Plus-que-parfait *il fallait...*			
que	je	vendisse	que	j'	eusse	vendu
que	tu	vendisses	que	tu	eusses	vendu
qu'	il	vendît	qu'	il	eût	vendu
que	nous	vendissions	que	nous	eussions	vendu
que	vous	vendissiez	que	vous	eussiez	vendu
qu'	ils	vendissent	qu'	ils	eussent	vendu

Impératif

Présent	Passé	
vends	aie	vendu
vendons	ayons	vendu
vendez	ayez	vendu

Infinitif

Présent	Passé	
vendre	avoir	vendu

Participe

Présent	Passé	
vendant	vendu, ue, us, ues	
	ayant	vendu

prendre

▷ Au présent de l'indicatif, la 3e personne du singulier se termine par un «**d**»: *il, elle prend*.
Les verbes *apprendre, comprendre, se déprendre* PR, *désapprendre, entreprendre, s'éprendre* PR, *se méprendre* PR, *rapprendre, réapprendre, reprendre* et *surprendre* se conjuguent selon ce modèle.

Indicatif

Présent		Passé composé		
je	prends	j'	ai	pris
tu	prends	tu	as	pris
elle	pren**d**	elle	a	pris
nous	prenons	nous	avons	pris
vous	prenez	vous	avez	pris
elles	prennent	elles	ont	pris

Imparfait		Plus-que-parfait		
je	prenais	j'	avais	pris
tu	prenais	tu	avais	pris
elle	prenait	elle	avait	pris
nous	prenions	nous	avions	pris
vous	preniez	vous	aviez	pris
elles	prenaient	elles	avaient	pris

Passé simple		Passé antérieur		
je	pris	j'	eus	pris
tu	pris	tu	eus	pris
elle	prit	elle	eut	pris
nous	prîmes	nous	eûmes	pris
vous	prîtes	vous	eûtes	pris
elles	prirent	elles	eurent	pris

Futur simple		Futur antérieur		
je	prendrai	j'	aurai	pris
tu	prendras	tu	auras	pris
elle	prendra	elle	aura	pris
nous	prendrons	nous	aurons	pris
vous	prendrez	vous	aurez	pris
elles	prendront	elles	auront	pris

Conditionnel présent		Conditionnel passé		
je	prendrais	j'	aurais	pris
tu	prendrais	tu	aurais	pris
elle	prendrait	elle	aurait	pris
nous	prendrions	nous	aurions	pris
vous	prendriez	vous	auriez	pris
elles	prendraient	elles	auraient	pris

Subjonctif

Présent *il faut...*		Passé *il faut...*		
que je	prenne	que j'	aie	pris
que tu	prennes	que tu	aies	pris
qu' elle	prenne	qu' elle	ait	pris
que nous	prenions	que nous	ayons	pris
que vous	preniez	que vous	ayez	pris
qu' elles	prennent	qu' elles	aient	pris

Imparfait *il fallait...*		Plus-que-parfait *il fallait...*		
que je	prisse	que j'	eusse	pris
que tu	prisses	que tu	eusses	pris
qu' elle	prît	qu' elle	eût	pris
que nous	prissions	que nous	eussions	pris
que vous	prissiez	que vous	eussiez	pris
qu' elles	prissent	qu' elles	eussent	pris

Impératif

Présent	Passé	
prends	aie	pris
prenons	ayons	pris
prenez	ayez	pris

Infinitif

Présent	Passé	
prendre	avoir	pris

Participe

Présent	Passé
prenant	pris, prise, pris, prises
	ayant pris

98 peindre

▷ On conserve les terminaisons *-ions* et *-iez* malgré la prononciation du « gn ». Parmi les verbes se conjuguant selon ce modèle, on trouve *atteindre*, *ceindre*, *feindre*, *geindre* et *restreindre*. Le participe passé *geint* est invariable.

Indicatif

Présent		Passé composé		
je	peins	j'	ai	peint
tu	peins	tu	as	peint
il	peint	il	a	peint
nous	peignons	nous	avons	peint
vous	peignez	vous	avez	peint
ils	peignent	ils	ont	peint

Imparfait		Plus-que-parfait		
je	peignais	j'	avais	peint
tu	peignais	tu	avais	peint
il	peignait	il	avait	peint
nous	peignions	nous	avions	peint
vous	peigniez	vous	aviez	peint
ils	peignaient	ils	avaient	peint

Passé simple		Passé antérieur		
je	peignis	j'	eus	peint
tu	peignis	tu	eus	peint
il	peignit	il	eut	peint
nous	peignîmes	nous	eûmes	peint
vous	peignîtes	vous	eûtes	peint
ils	peignirent	ils	eurent	peint

Futur simple		Futur antérieur		
je	peindrai	j'	aurai	peint
tu	peindras	tu	auras	peint
il	peindra	il	aura	peint
nous	peindrons	nous	aurons	peint
vous	peindrez	vous	aurez	peint
ils	peindront	ils	auront	peint

Conditionnel présent		Conditionnel passé		
je	peindrais	j'	aurais	peint
tu	peindrais	tu	aurais	peint
il	peindrait	il	aurait	peint
nous	peindrions	nous	aurions	peint
vous	peindriez	vous	auriez	peint
ils	peindraient	ils	auraient	peint

Subjonctif

Présent *il faut…*			Passé *il faut…*			
que	je	peigne	que	j'	aie	peint
que	tu	peignes	que	tu	aies	peint
qu'	il	peigne	qu'	il	ait	peint
que	nous	peignions	que	nous	ayons	peint
que	vous	peigniez	que	vous	ayez	peint
qu'	ils	peignent	qu'	ils	aient	peint

Imparfait *il fallait…*			Plus-que-parfait *il fallait…*			
que	je	peignisse	que	j'	eusse	peint
que	tu	peignisses	que	tu	eusses	peint
qu'	il	peignît	qu'	il	eût	peint
que	nous	peignissions	que	nous	eussions	peint
que	vous	peignissiez	que	vous	eussiez	peint
qu'	ils	peignissent	qu'	ils	eussent	peint

Impératif

Présent	Passé	
peins	aie	peint
peignons	ayons	peint
peignez	ayez	peint

Infinitif

Présent	Passé	
peindre	avoir	peint

Participe

Présent	Passé
peignant	peint, peinte,
	peints, peintes
	ayant peint

craindre 99

▷ On conserve les terminaisons *-ions* et *-iez* malgré la prononciation du « gn ».
Les verbes *contraindre* et *plaindre* se conjuguent selon ce modèle.

Indicatif

Présent

je	crains
tu	crains
elle	craint
nous	craignons
vous	craignez
elles	craignent

Passé composé

j'	ai	craint
tu	as	craint
elle	a	craint
nous	avons	craint
vous	avez	craint
elles	ont	craint

Imparfait

je	craignais
tu	craignais
elle	craignait
nous	craignions
vous	craigniez
elles	craignaient

Plus-que-parfait

j'	avais	craint
tu	avais	craint
elle	avait	craint
nous	avions	craint
vous	aviez	craint
elles	avaient	craint

Passé simple

je	craignis
tu	craignis
elle	craignit
nous	craignîmes
vous	craignîtes
elles	craignirent

Passé antérieur

j'	eus	craint
tu	eus	craint
elle	eut	craint
nous	eûmes	craint
vous	eûtes	craint
elles	eurent	craint

Futur simple

je	craindrai
tu	craindras
elle	craindra
nous	craindrons
vous	craindrez
elles	craindront

Futur antérieur

j'	aurai	craint
tu	auras	craint
elle	aura	craint
nous	aurons	craint
vous	aurez	craint
elles	auront	craint

Conditionnel présent

je	craindrais
tu	craindrais
elle	craindrait
nous	craindrions
vous	craindriez
elles	craindraient

Conditionnel passé

j'	aurais	craint
tu	aurais	craint
elle	aurait	craint
nous	aurions	craint
vous	auriez	craint
elles	auraient	craint

Subjonctif

Présent
il faut...

que	je	craigne
que	tu	craignes
qu'	elle	craigne
que	nous	craignions
que	vous	craigniez
qu'	elles	craignent

Passé
il faut...

que	j'	aie	craint
que	tu	aies	craint
qu'	elle	ait	craint
que	nous	ayons	craint
que	vous	ayez	craint
qu'	elles	aient	craint

Imparfait
il fallait...

que	je	craignisse
que	tu	craignisses
qu'	elle	craignît
que	nous	craignissions
que	vous	craignissiez
qu'	elles	craignissent

Plus-que-parfait
il fallait...

que	j'	eusse	craint
que	tu	eusses	craint
qu'	elle	eût	craint
que	nous	eussions	craint
que	vous	eussiez	craint
qu'	elles	eussent	craint

Impératif

Présent

crains
craignons
craignez

Passé

aie	craint
ayons	craint
ayez	craint

Infinitif

Présent

craindre

Passé

avoir craint

Participe

Présent

craignant

Passé

craint, crainte,
craints, craintes
ayant craint

100 joindre

▷ On conserve les terminaisons ***-ions*** et ***-iez*** malgré la prononciation du « gn ».
Les verbes *adjoindre, disjoindre, enjoindre, oindre, poindre* et *rejoindre* se conjuguent selon ce modèle.

Indicatif

Présent

je joins
tu joins
il joint
nous joignons
vous joignez
ils joignent

Passé composé

j' ai joint
tu as joint
il a joint
nous avons joint
vous avez joint
ils ont joint

Imparfait

je joignais
tu joignais
il joignait
nous joignions
vous joigniez
ils joignaient

Plus-que-parfait

j' avais joint
tu avais joint
il avait joint
nous avions joint
vous aviez joint
ils avaient joint

Passé simple

je joignis
tu joignis
il joignit
nous joignîmes
vous joignîtes
ils joignirent

Passé antérieur

j' eus joint
tu eus joint
il eut joint
nous eûmes joint
vous eûtes joint
ils eurent joint

Futur simple

je joindrai
tu joindras
il joindra
nous joindrons
vous joindrez
ils joindront

Futur antérieur

j' aurai joint
tu auras joint
il aura joint
nous aurons joint
vous aurez joint
ils auront joint

Conditionnel présent

je joindrais
tu joindrais
il joindrait
nous joindrions
vous joindriez
ils joindraient

Conditionnel passé

j' aurais joint
tu aurais joint
il aurait joint
nous aurions joint
vous auriez joint
ils auraient joint

Subjonctif

Présent
il faut...

que je joigne
que tu joignes
qu' il joigne
que nous joignions
que vous joigniez
qu' ils joignent

Passé
il faut...

que j' aie joint
que tu aies joint
qu' il ait joint
que nous ayons joint
que vous ayez joint
qu' ils aient joint

Imparfait
il fallait...

que je joignisse
que tu joignisses
qu' il joignît
que nous joignissions
que vous joignissiez
qu' ils joignissent

Plus-que-parfait
il fallait...

que j' eusse joint
que tu eusses joint
qu' il eût joint
que nous eussions joint
que vous eussiez joint
qu' ils eussent joint

Impératif

Présent

joins
joignons
joignez

Passé

aie joint
ayons joint
ayez joint

Infinitif

Présent

joindre

Passé

avoir joint

Participe

Présent

joignant

Passé

joint, jointe,
joints, jointes
ayant joint

ÊTRE

naître 101

▷ On conserve le « î » du radical devant un « t ».
Le verbe *renaître* se conjugue selon ce modèle.

Indicatif

Présent		Passé composé		
je	nais	je	suis	né, née
tu	nais	tu	es	né, née
il, elle	naît	il, elle	est	né, née
nous	naissons	nous	sommes	nés, nées
vous	naissez	vous	êtes	nés, nées
ils, elles	naissent	ils, elles	sont	nés, nées

Imparfait		Plus-que-parfait		
je	naissais	j'	étais	né, née
tu	naissais	tu	étais	né, née
il, elle	naissait	il, elle	était	né, née
nous	naissions	nous	étions	nés, nées
vous	naissiez	vous	étiez	nés, nées
ils, elles	naissaient	ils, elles	étaient	nés, nées

Passé simple		Passé antérieur		
je	naquis	je	fus	né, née
tu	naquis	tu	fus	né, née
il, elle	naquit	il, elle	fut	né, née
nous	naquîmes	nous	fûmes	nés, nées
vous	naquîtes	vous	fûtes	nés, nées
ils, elles	naquirent	ils, elles	furent	nés, nées

Futur simple		Futur antérieur		
je	naîtrai	je	serai	né, née
tu	naîtras	tu	seras	né, née
il, elle	naîtra	il, elle	sera	né, née
nous	naîtrons	nous	serons	nés, nées
vous	naîtrez	vous	serez	nés, nées
ils, elles	naîtront	ils, elles	seront	nés, nées

Conditionnel présent		Conditionnel passé		
je	naîtrais	je	serais	né, née
tu	naîtrais	tu	serais	né, née
il, elle	naîtrait	il, elle	serait	né, née
nous	naîtrions	nous	serions	nés, nées
vous	naîtriez	vous	seriez	nés, nées
ils, elles	naîtraient	ils, elles	seraient	nés, nées

Subjonctif

Présent *il faut...*			Passé *il faut...*			
que	je	naisse	que	je	sois	né, née
que	tu	naisses	que	tu	sois	né, née
qu'	il, elle	naisse	qu'	il, elle	soit	né, née
que	nous	naissions	que	nous	soyons	nés, nées
que	vous	naissiez	que	vous	soyez	nés, nées
qu'	ils, elles	naissent	qu'	ils, elles	soient	nés, nées

Imparfait *il fallait...*			Plus-que-parfait *il fallait...*			
que	je	naquisse	que	je	fusse	né, née
que	tu	naquisses	que	tu	fusses	né, née
qu'	il, elle	naquît	qu'	il, elle	fût	né, née
que	nous	naquissions	que	nous	fussions	nés, nées
que	vous	naquissiez	que	vous	fussiez	nés, nées
qu'	ils, elles	naquissent	qu'	ils, elles	fussent	nés, nées

Impératif

Présent	Passé	
nais	sois	né, ée
naissons	soyons	nés, ées
naissez	soyez	nés, ées

Infinitif

Présent	Passé	
naître	être	né, ée, és, ées

Participe

Présent	Passé	
naissant	né, née, nés, nées	
	étant	né, ée, és, ées

102 connaître

▷ On conserve le « î » du radical devant un « t ».

Les verbes *apparaître* A/E, *comparaître*, *disparaître* A/E, *méconnaître*, *paraître* A/E, *réapparaître* A/E, *recomparaître*, *reconnaître*, *repaître*, *reparaître* A/E et *transparaître* se conjuguent selon ce modèle.

Indicatif

Présent		Passé composé		
je	connais	j'	ai	connu
tu	connais	tu	as	connu
il	connaît	il	a	connu
nous	connaissons	nous	avons	connu
vous	connaissez	vous	avez	connu
ils	connaissent	ils	ont	connu

Imparfait		Plus-que-parfait		
je	connaissais	j'	avais	connu
tu	connaissais	tu	avais	connu
il	connaissait	il	avait	connu
nous	connaissions	nous	avions	connu
vous	connaissiez	vous	aviez	connu
ils	connaissaient	ils	avaient	connu

Passé simple		Passé antérieur		
je	connus	j'	eus	connu
tu	connus	tu	eus	connu
il	connut	il	eut	connu
nous	connûmes	nous	eûmes	connu
vous	connûtes	vous	eûtes	connu
ils	connurent	ils	eurent	connu

Futur simple		Futur antérieur		
je	connaîtrai	j'	aurai	connu
tu	connaîtras	tu	auras	connu
il	connaîtra	il	aura	connu
nous	connaîtrons	nous	aurons	connu
vous	connaîtrez	vous	aurez	connu
ils	connaîtront	ils	auront	connu

Conditionnel présent		Conditionnel passé		
je	connaîtrais	j'	aurais	connu
tu	connaîtrais	tu	aurais	connu
il	connaîtrait	il	aurait	connu
nous	connaîtrions	nous	aurions	connu
vous	connaîtriez	vous	auriez	connu
ils	connaîtraient	ils	auraient	connu

Subjonctif

Présent *il faut...*		Passé *il faut...*		
que je	connaisse	que j'	aie	connu
que tu	connaisses	que tu	aies	connu
qu' il	connaisse	qu' il	ait	connu
que nous	connaissions	que nous	ayons	connu
que vous	connaissiez	que vous	ayez	connu
qu' ils	connaissent	qu' ils	aient	connu

Imparfait *il fallait...*		Plus-que-parfait *il fallait...*		
que je	connusse	que j'	eusse	connu
que tu	connusses	que tu	eusses	connu
qu' il	connût	qu' il	eût	connu
que nous	connussions	que nous	eussions	connu
que vous	connussiez	que vous	eussiez	connu
qu' ils	connussent	qu' ils	eussent	connu

Impératif

Présent	Passé	
connais	aie	connu
connaissons	ayons	connu
connaissez	ayez	connu

Infinitif

Présent	Passé	
connaître	avoir	connu

Participe

Présent	Passé	
connaissant	connu, ue, us, ues	
	ayant	connu

croître 103

▷ On conserve le «î» du radical devant un «t».

▷ Pour différencier les conjugaisons des verbes *croître* et *croire* (voir le tableau **85**), on met l'accent circonflexe sur le «î» et sur le «û».

Indicatif

Présent		Passé composé		
je	croîs	j'	ai	crû
tu	croîs	tu	as	crû
elle	croît	elle	a	crû
nous	croissons	nous	avons	crû
vous	croissez	vous	avez	crû
elles	croissent	elles	ont	crû

Imparfait		Plus-que-parfait		
je	croissais	j'	avais	crû
tu	croissais	tu	avais	crû
elle	croissait	elle	avait	crû
nous	croissions	nous	avions	crû
vous	croissiez	vous	aviez	crû
elles	croissaient	elles	avaient	crû

Passé simple		Passé antérieur		
je	crûs	j'	eus	crû
tu	crûs	tu	eus	crû
elle	crût	elle	eut	crû
nous	crûmes	nous	eûmes	crû
vous	crûtes	vous	eûtes	crû
elles	crûrent	elles	eurent	crû

Futur simple		Futur antérieur		
je	croîtrai	j'	aurai	crû
tu	croîtras	tu	auras	crû
elle	croîtra	elle	aura	crû
nous	croîtrons	nous	aurons	crû
vous	croîtrez	vous	aurez	crû
elles	croîtront	elles	auront	crû

Conditionnel présent		Conditionnel passé		
je	croîtrais	j'	aurais	crû
tu	croîtrais	tu	aurais	crû
elle	croîtrait	elle	aurait	crû
nous	croîtrions	nous	aurions	crû
vous	croîtriez	vous	auriez	crû
elles	croîtraient	elles	auraient	crû

Subjonctif

Présent *il faut...*			Passé *il faut...*			
que	je	croisse	que	j'	aie	crû
que	tu	croisses	que	tu	aies	crû
qu'	elle	croisse	qu'	elle	ait	crû
que	nous	croissions	que	nous	ayons	crû
que	vous	croissiez	que	vous	ayez	crû
qu'	elles	croissent	qu'	elles	aient	crû

Imparfait *il fallait...*			Plus-que-parfait *il fallait...*			
que	je	crûsse	que	j'	eusse	crû
que	tu	crûsses	que	tu	eusses	crû
qu'	elle	crût	qu'	elle	eût	crû
que	nous	crûssions	que	nous	eussions	crû
que	vous	crûssiez	que	vous	eussiez	crû
qu'	elles	crûssent	qu'	elles	eussent	crû

Impératif

Présent	Passé	
croîs	aie	crû
croissons	ayons	crû
croissez	ayez	crû

Infinitif

Présent	Passé
croître	avoir crû

Participe

Présent	Passé
croissant	crû (*invariable*)
	ayant crû

104 accroître

▷ On conserve le « î » du radical devant un « t ».
Les verbes *décroître* A/E et *recroître* se conjuguent selon ce modèle.
Le participe passé de *recroître* est *recrû, ue, us, ues.*

Indicatif

Présent		Passé composé		
j'	accrois	j'	ai	accru
tu	accrois	tu	as	accru
il	accroît	il	a	accru
nous	accroissons	nous	avons	accru
vous	accroissez	vous	avez	accru
ils	accroissent	ils	ont	accru

Imparfait		Plus-que-parfait		
j'	accroissais	j'	avais	accru
tu	accroissais	tu	avais	accru
il	accroissait	il	avait	accru
nous	accroissions	nous	avions	accru
vous	accroissiez	vous	aviez	accru
ils	accroissaient	ils	avaient	accru

Passé simple		Passé antérieur		
j'	accrus	j'	eus	accru
tu	accrus	tu	eus	accru
il	accrut	il	eut	accru
nous	accrûmes	nous	eûmes	accru
vous	accrûtes	vous	eûtes	accru
ils	accrurent	ils	eurent	accru

Futur simple		Futur antérieur		
j'	accroîtrai	j'	aurai	accru
tu	accroîtras	tu	auras	accru
il	accroîtra	il	aura	accru
nous	accroîtrons	nous	aurons	accru
vous	accroîtrez	vous	aurez	accru
ils	accroîtront	ils	auront	accru

Conditionnel présent		Conditionnel passé		
j'	accroîtrais	j'	aurais	accru
tu	accroîtrais	tu	aurais	accru
il	accroîtrait	il	aurait	accru
nous	accroîtrions	nous	aurions	accru
vous	accroîtriez	vous	auriez	accru
ils	accroîtraient	ils	auraient	accru

Subjonctif

Présent *il faut...*		Passé *il faut...*		
que j'	accroisse	que j'	aie	accru
que tu	accroisses	que tu	aies	accru
qu' il	accroisse	qu' il	ait	accru
que nous	accroissions	que nous	ayons	accru
que vous	accroissiez	que vous	ayez	accru
qu' ils	accroissent	qu' ils	aient	accru

Imparfait *il fallait...*		Plus-que-parfait *il fallait...*		
que j'	accrusse	que j'	eusse	accru
que tu	accrusses	que tu	eusses	accru
qu' il	accrût	qu' il	eût	accru
que nous	accrussions	que nous	eussions	accru
que vous	accrussiez	que vous	eussiez	accru
qu' ils	accrussent	qu' ils	eussent	accru

Impératif

Présent	Passé	
accrois	aie	accru
accroissons	ayons	accru
accroissez	ayez	accru

Infinitif

Présent	Passé	
accroître	avoir	accru

Participe

Présent	Passé
accroissant	accru, ue, us, ues
	ayant accru

battre 105

Les verbes *abattre, combattre, contrebattre, débattre, s'ébattre* PR, *embattre, rabattre* et *rebattre* se conjuguent selon ce modèle.

Indicatif

Présent

je	bats
tu	bats
elle	bat
nous	battons
vous	battez
elles	battent

Passé composé

j'	ai	battu
tu	as	battu
elle	a	battu
nous	avons	battu
vous	avez	battu
elles	ont	battu

Imparfait

je	battais
tu	battais
elle	battait
nous	battions
vous	battiez
elles	battaient

Plus-que-parfait

j'	avais	battu
tu	avais	battu
elle	avait	battu
nous	avions	battu
vous	aviez	battu
elles	avaient	battu

Passé simple

je	battis
tu	battis
elle	battit
nous	battîmes
vous	battîtes
elles	battirent

Passé antérieur

j'	eus	battu
tu	eus	battu
elle	eut	battu
nous	eûmes	battu
vous	eûtes	battu
elles	eurent	battu

Futur simple

je	battrai
tu	battras
elle	battra
nous	battrons
vous	battrez
elles	battront

Futur antérieur

j'	aurai	battu
tu	auras	battu
elle	aura	battu
nous	aurons	battu
vous	aurez	battu
elles	auront	battu

Conditionnel présent

je	battrais
tu	battrais
elle	battrait
nous	battrions
vous	battriez
elles	battraient

Conditionnel passé

j'	aurais	battu
tu	aurais	battu
elle	aurait	battu
nous	aurions	battu
vous	auriez	battu
elles	auraient	battu

Subjonctif

Présent
il faut...

que	je	batte
que	tu	battes
qu'	elle	batte
que	nous	battions
que	vous	battiez
qu'	elles	battent

Passé
il faut...

que	j'	aie	battu
que	tu	aies	battu
qu'	elle	ait	battu
que	nous	ayons	battu
que	vous	ayez	battu
qu'	elles	aient	battu

Imparfait
il fallait...

que	je	battisse
que	tu	battisses
qu'	elle	battît
que	nous	battissions
que	vous	battissiez
qu'	elles	battissent

Plus-que-parfait
il fallait...

que	j'	eusse	battu
que	tu	eusses	battu
qu'	elle	eût	battu
que	nous	eussions	battu
que	vous	eussiez	battu
qu'	elles	eussent	battu

Impératif

Présent

bats
battons
battez

Passé

aie	battu
ayons	battu
ayez	battu

Infinitif

Présent

battre

Passé

avoir battu

Participe

Présent

battant

Passé

battu, ue, us, ues
ayant battu

106 mettre

Parmi les verbes se conjuguant selon ce modèle, on trouve *admettre, commettre, compromettre, émettre, omettre, permettre, promettre, remettre, retransmettre, soumettre* et *transmettre*.

Indicatif

Présent		Passé composé		
je	mets	j'	ai	mis
tu	mets	tu	as	mis
il	met	il	a	mis
nous	mettons	nous	avons	mis
vous	mettez	vous	avez	mis
ils	mettent	ils	ont	mis

Imparfait		Plus-que-parfait		
je	mettais	j'	avais	mis
tu	mettais	tu	avais	mis
il	mettait	il	avait	mis
nous	mettions	nous	avions	mis
vous	mettiez	vous	aviez	mis
ils	mettaient	ils	avaient	mis

Passé simple		Passé antérieur		
je	mis	j'	eus	mis
tu	mis	tu	eus	mis
il	mit	il	eut	mis
nous	mîmes	nous	eûmes	mis
vous	mîtes	vous	eûtes	mis
ils	mirent	ils	eurent	mis

Futur simple		Futur antérieur		
je	mettrai	j'	aurai	mis
tu	mettras	tu	auras	mis
il	mettra	il	aura	mis
nous	mettrons	nous	aurons	mis
vous	mettrez	vous	aurez	mis
ils	mettront	ils	auront	mis

Conditionnel présent		Conditionnel passé		
je	mettrais	j'	aurais	mis
tu	mettrais	tu	aurais	mis
il	mettrait	il	aurait	mis
nous	mettrions	nous	aurions	mis
vous	mettriez	vous	auriez	mis
ils	mettraient	ils	auraient	mis

Subjonctif

Présent *il faut...*			Passé *il faut...*			
que	je	mette	que	j'	aie	mis
que	tu	mettes	que	tu	aies	mis
qu'	il	mette	qu'	il	ait	mis
que	nous	mettions	que	nous	ayons	mis
que	vous	mettiez	que	vous	ayez	mis
qu'	ils	mettent	qu'	ils	aient	mis

Imparfait *il fallait...*			Plus-que-parfait *il fallait...*			
que	je	misse	que	j'	eusse	mis
que	tu	misses	que	tu	eusses	mis
qu'	il	mît	qu'	il	eût	mis
que	nous	missions	que	nous	eussions	mis
que	vous	missiez	que	vous	eussiez	mis
qu'	ils	missent	qu'	ils	eussent	mis

Impératif

Présent	Passé	
mets	aie	mis
mettons	ayons	mis
mettez	ayez	mis

Infinitif

Présent	Passé	
mettre	avoir	mis

Participe

Présent	Passé
mettant	mis, mise, mis, mises
	ayant mis

frire 107

Le verbe *frire* ne s'emploie qu'aux temps et aux personnes indiqués ci-dessous.

Indicatif

Présent		Passé composé		
je	fris	j'	ai	frit
tu	fris	tu	as	frit
elle	frit	elle	a	frit
–		nous	avons	frit
–		vous	avez	frit
–		elles	ont	frit

Imparfait	Plus-que-parfait		
–	j'	avais	frit
–	tu	avais	frit
–	elle	avait	frit
–	nous	avions	frit
–	vous	aviez	frit
–	elles	avaient	frit

Passé simple	Passé antérieur		
–	j'	eus	frit
–	tu	eus	frit
–	elle	eut	frit
–	nous	eûmes	frit
–	vous	eûtes	frit
–	elles	eurent	frit

Futur simple		Futur antérieur		
je	frirai	j'	aurai	frit
tu	friras	tu	auras	frit
elle	frira	elle	aura	frit
nous	frirons	nous	aurons	frit
vous	frirez	vous	aurez	frit
elles	friront	elles	auront	frit

Conditionnel présent		Conditionnel passé		
je	frirais	j'	aurais	frit
tu	frirais	tu	aurais	frit
elle	frirait	elle	aurait	frit
nous	fririons	nous	aurions	frit
vous	fririez	vous	auriez	frit
elles	friraient	elles	auraient	frit

Subjonctif

Présent	Passé *il faut...*			
–	que	j'	aie	frit
–	que	tu	aies	frit
–	qu'	elle	ait	frit
–	que	nous	ayons	frit
–	que	vous	ayez	frit
–	qu'	elles	aient	frit

Imparfait	Plus-que-parfait *il fallait...*			
–	que	j'	eusse	frit
–	que	tu	eusses	frit
–	qu'	elle	eût	frit
–	que	nous	eussions	frit
–	que	vous	eussiez	frit
–	qu'	elles	eussent	frit

Impératif

Présent	Passé	
fris	aie	frit
–	ayons	frit
–	ayez	frit

Infinitif

Présent	Passé	
frire	avoir	frit

Participe

Présent	Passé
–	frit, frite, frits, frites
	ayant frit

108 foutre

Le verbe *foutre* ne s'emploie qu'aux temps indiqués ci-dessous.
Les verbes se *contrefoutre* PR et *refoutre* se conjuguent selon ce modèle.

Indicatif

Présent
je fous
tu fous
il fout
nous foutons
vous foutez
ils foutent

Passé composé
j' ai foutu
tu as foutu
il a foutu
nous avons foutu
vous avez foutu
ils ont foutu

Imparfait
je foutais
tu foutais
il foutait
nous foutions
vous foutiez
ils foutaient

Plus-que-parfait
j' avais foutu
tu avais foutu
il avait foutu
nous avions foutu
vous aviez foutu
ils avaient foutu

Passé simple
–
–
–
–
–
–

Passé antérieur
–
–
–
–
–
–

Futur simple
je foutrai
tu foutras
il foutra
nous foutrons
vous foutrez
ils foutront

Futur antérieur
j' aurai foutu
tu auras foutu
il aura foutu
nous aurons foutu
vous aurez foutu
ils auront foutu

Conditionnel présent
je foutrais
tu foutrais
il foutrait
nous foutrions
vous foutriez
ils foutraient

Conditionnel passé
j' aurais foutu
tu aurais foutu
il aurait foutu
nous aurions foutu
vous auriez foutu
ils auraient foutu

Subjonctif

Présent
il faut...
que je foute
que tu foutes
qu' il foute
que nous foutions
que vous foutiez
qu' ils foutent

Passé
il faut...
que j' aie foutu
que tu aies foutu
qu' il ait foutu
que nous ayons foutu
que vous ayez foutu
qu' ils aient foutu

Imparfait
–
–
–
–
–
–

Plus-que-parfait
–
–
–
–
–
–

Impératif

Présent
fous
foutons
foutez

Passé
aie foutu
ayons foutu
ayez foutu

Infinitif

Présent
foutre

Passé
avoir foutu

Participe

Présent
foutant

Passé
foutu, ue, us, ues
ayant foutu

clore 109

▷ À la 3e personne du singulier du présent de l'indicatif, le « o » du radical devient « ô ».
Le verbe *clore* ne s'emploie qu'aux temps et aux personnes indiqués ci-dessous.
Les verbes *éclore* A/E et *enclore* se conjuguent partiellement selon ce modèle (voir l'Index des verbes).

Indicatif

Présent		Passé composé		
je	clos	j'	ai	clos
tu	clos	tu	as	clos
elle	clôt	elle	a	clos
–		nous	avons	clos
–		vous	avez	clos
elles	closent	elles	ont	clos

Imparfait	Plus-que-parfait		
–	j'	avais	clos
–	tu	avais	clos
–	elle	avait	clos
–	nous	avions	clos
–	vous	aviez	clos
–	elles	avaient	clos

Passé simple	Passé antérieur		
–	j'	eus	clos
–	tu	eus	clos
–	elle	eut	clos
–	nous	eûmes	clos
–	vous	eûtes	clos
–	elles	eurent	clos

Futur simple		Futur antérieur		
je	clorai	j'	aurai	clos
tu	cloras	tu	auras	clos
elle	clora	elle	aura	clos
nous	clorons	nous	aurons	clos
vous	clorez	vous	aurez	clos
elles	cloront	elles	auront	clos

Conditionnel présent		Conditionnel passé		
je	clorais	j'	aurais	clos
tu	clorais	tu	aurais	clos
elle	clorait	elle	aurait	clos
nous	clorions	nous	aurions	clos
vous	cloriez	vous	auriez	clos
elles	cloraient	elles	auraient	clos

Subjonctif

Présent *il faut...*		Passé *il faut...*		
que je	close	que j'	aie	clos
que tu	closes	que tu	aies	clos
qu' elle	close	qu' elle	ait	clos
que nous	closions	que nous	ayons	clos
que vous	closiez	que vous	ayez	clos
qu' elles	closent	qu' elles	aient	clos

Imparfait	Plus-que-parfait *il fallait...*		
–	que j'	eusse	clos
–	que tu	eusses	clos
–	qu' elle	eût	clos
–	que nous	eussions	clos
–	que vous	eussiez	clos
–	qu' elles	eussent	clos

Impératif

Présent	Passé	
clos	aie	clos
–	ayons	clos
–	ayez	clos

Infinitif

Présent	Passé	
clore	avoir	clos

Participe

Présent	Passé
closant	clos, close, clos, closes
	ayant clos

110 braire · bruire · paître

Ces verbes ne s'emploient qu'aux temps et aux personnes indiqués ci-dessous.

braire

Indicatif

Présent		Futur simple		Conditionnel présent	
il, elle	brait	il, elle	braira	il, elle	brairait
ils, elles	braient	ils, elles	brairont	ils, elles	brairaient

bruire

Indicatif

Présent		Imparfait	
il, elle	bruit	il, elle	bruissait
ils, elles	bruissent	ils, elles	bruissaient

Subjonctif

Présent

Il faut...

qu' il, elle bruisse
qu' ils, elles bruissent

Participe

Présent

bruissant

paître

On conserve l'« î » du radical devant un « t ».

Indicatif

Présent		Futur simple	
je	pais	je	paîtrai
tu	pais	tu	paîtras
il, elle	paît	il, elle	paîtra
nous	paissons	nous	paîtrons
vous	paissez	vous	paîtrez
ils, elles	paissent	ils, elles	paîtront

Imparfait		Conditionnel présent	
je	paissais	je	paîtrais
tu	paissais	tu	paîtrais
il, elle	paissait	il, elle	paîtrait
nous	paissions	nous	paîtrions
vous	paissiez	vous	paîtriez
ils, elles	paissaient	ils, elles	paîtraient

Subjonctif

Présent

il faut...

que	je	paisse
que	tu	paisses
qu'	il, elle	paisse
que	nous	paissions
que	vous	paissiez
qu'	ils, elles	paissent

Impératif

Présent

pais
paissons
paissez

Infinitif

Présent

paître

Participe

Présent

paissant

Tableau des irrégularités des verbes en *-oir*

VERBE MODÈLE	CARACTÉRISTIQUE	PARTICULARITÉ ORTHOGRAPHIQUE OU DIFFICULTÉ	AUTRES VERBES
113 pouvoir	P. passé : ***pu**, inv.* **5 radicaux :** *peu-, pouv-, peuv-, p-, pour-* *je peu**x**, nous pouv**ons**, ils, elles peuv**ent**, je p**us**, je pour**rai***	▷ doublement du **r** ▷ finales en **x**	**1 occurrence**
114 vouloir	Verbes en *-voul**oir*** P. passé : *-voul**u, ue*** **5 radicaux :** *-veu-, -voul-, -veul-, -voud-, -veuill-* *je veu**x**, nous voul**ons**, ils, elles veul**ent**, je voud**rai**, je veuill**e***	▷ finales en **x**	**2 occurrences** *revoul**oir***
115 valoir	Verbes en *-val**oir*** P. passé : *-val**u, ue*** **4 radicaux :** *-vau-, -val-, -vaud-, -vaill-* *je vau**x**, nous val**ons**, je vaud**rai**, je vaill**e***	▷ finales en **x**	**3 occurrences** *équival**oir*** et *reval**oir***
116 prévaloir	P. passé : *préval**u, ue*** **3 radicaux :** *prévau-, préval-, prévaud-* *je prévau**x**, nous préval**ons**, je prévaud**rai***	▷ finales en **x**	**1 occurrence**
117 savoir	P. passé : ***su, sue*** **5 radicaux :** *sai-, sav-, s-, sau-, sach-* *je sai**s**, nous sav**ons**, je s**us**, je sau**rai**, que je sach**e***	▷ radical en ***sach-***	**1 occurrence**
118 asseoir (j'assois)	P. passé : *ass**is**, ass**ise*** **3 radicaux :** *-assoi-, -assoy-, -ass-* *j'assoi**s**, nous assoy**ons**, j'ass**is***	▷ alternance **y, i** ▷ **y** suivi de **i**	**2 occurrences** *rass**eoir***
119 asseoir (j'assieds)	P. passé : *ass**is**, ass**ise*** **4 radicaux :** *-assied-, -assey-, -ass-, -assié-* *j'assied**s**, nous assey**ons**, j'ass**is**, j'assié**rai***	▷ finale en **d** (présent de l'indicatif, 3e pers. sing.) ▷ **y** suivi de **i**	**2 occurrences** *rass**eoir***
120 surseoir	P. passé : *surs**is**, surs**ise*** **4 radicaux :** *sursoi-, sursoy-, surs-, surseoi-* *je sursoi**s**, nous sursoy**ons**, je surs**is**, je surseoi**rai***	▷ alternance **oi, eoi** ▷ **y** suivi de **i**	**1 occurrence**

VERBE MODÈLE	CARACTÉRISTIQUE	PARTICULARITÉ ORTHOGRAPHIQUE OU DIFFICULTÉ	AUTRES VERBES
121 voir	Verbes en -*voir*, sauf *prévoir* P. passé : -*vu, ue* **4 radicaux :** -*voi-*, -*voy-*, -*v-*, -*ver-* *je vois, nous voyons, je vis, je verrai*	▷ doublement du **r** ▷ **y** suivi de **i**	**3 occurrences** *entrevoir* et *revoir*
122 prévoir	P. passé : *prévu, ue* **3 radicaux :** *prévoi-*, *prévoy-*, *prév-* *je prévois, nous prévoyons, je prévis*	▷ **y** suivi de **i**	**1 occurrence**
123 recevoir	Verbes en -*cevoir* P. passé : -*çu, ue* **4 radicaux :** -*çoi-*, -*cev-*, -*çoiv-*, -*ç-* *je reçois, nous recevons, ils, elles reçoivent, je reçus*	▷ alternance **c, ç**	**6 occurrences** *apercevoir, concevoir, décevoir, entrapercevoir* et *percevoir*
124 devoir	Verbes en -*devoir* P. passé : -*dû, -due* **4 radicaux :** -*doi-*, -*dev-*, -*doiv-*, -*d-* *je dois, nous devons, ils, elles doivent, je dus*	▷ participe passé avec **û**	**2 occurrences** *redevoir*
125 promouvoir	Verbes en -*mouvoir* P. passé : -*mu* et -*mû, -mue* **4 radicaux :** -*meu-*, -*mouv-*, -*meuv-*, -*m-* *je promeus, nous promouvons, ils, elles promeuvent, je promus*	–	**3 occurrences** *émouvoir* et *mouvoir*
126 pourvoir	P. passé : *pourvu, ue* **3 radicaux :** *pourvoi-*, *pourvoy-*, *pourv-* *je pourvois, nous pourvoyons, je pourvus*	▷ **y** suivi de **i**	**1 occurrence**
127 falloir	–	–	**1 occurrence**
127 pleuvoir	–	–	**2 occurrences** *repleuvoir*
128 échoir *Défectif **	–	–	**1 occurrence**
129 déchoir *Défectif **	–	–	**3 occurrences** *choir* et *échoir*

* Les verbes défectifs ne se conjuguent pas à tous les modes ni à tous les temps (consulter les tableaux).

pouvoir 113

▷ Le futur simple et le conditionnel présent comportent « **rr** ».
▷ Au présent de l'indicatif, les 1re et 2e personnes du singulier se terminent par un « **x** ».
À la forme interrogative, *je peux* devient *puis-je*?

Indicatif

Présent		Passé composé		
je	peux	j'	ai	pu
tu	peux	tu	as	pu
elle	peut	elle	a	pu
nous	pouvons	nous	avons	pu
vous	pouvez	vous	avez	pu
elles	peuvent	elles	ont	pu

Imparfait		Plus-que-parfait		
je	pouvais	j'	avais	pu
tu	pouvais	tu	avais	pu
elle	pouvait	elle	avait	pu
nous	pouvions	nous	avions	pu
vous	pouviez	vous	aviez	pu
elles	pouvaient	elles	avaient	pu

Passé simple		Passé antérieur		
je	pus	j'	eus	pu
tu	pus	tu	eus	pu
elle	put	elle	eut	pu
nous	pûmes	nous	eûmes	pu
vous	pûtes	vous	eûtes	pu
elles	purent	elles	eurent	pu

Futur simple		Futur antérieur		
je	pourrai	j'	aurai	pu
tu	pourras	tu	auras	pu
elle	pourra	elle	aura	pu
nous	pourrons	nous	aurons	pu
vous	pourrez	vous	aurez	pu
elles	pourront	elles	auront	pu

Conditionnel présent		Conditionnel passé		
je	pourrais	j'	aurais	pu
tu	pourrais	tu	aurais	pu
elle	pourrait	elle	aurait	pu
nous	pourrions	nous	aurions	pu
vous	pourriez	vous	auriez	pu
elles	pourraient	elles	auraient	pu

Subjonctif

Présent *il faut...*			Passé *il faut...*			
que	je	puisse	que	j'	aie	pu
que	tu	puisses	que	tu	aies	pu
qu'	elle	puisse	qu'	elle	ait	pu
que	nous	puissions	que	nous	ayons	pu
que	vous	puissiez	que	vous	ayez	pu
qu'	elles	puissent	qu'	elles	aient	pu

Imparfait *il fallait...*			Plus-que-parfait *il fallait...*			
que	je	pusse	que	j'	eusse	pu
que	tu	pusses	que	tu	eusses	pu
qu'	elle	pût	qu'	elle	eût	pu
que	nous	pussions	que	nous	eussions	pu
que	vous	pussiez	que	vous	eussiez	pu
qu'	elles	pussent	qu'	elles	eussent	pu

Impératif

Présent	Passé
–	–
–	–
–	–

Infinitif

Présent	Passé
pouvoir	avoir pu

Participe

Présent	Passé
pouvant	pu (*invariable*)
	ayant pu

114 vouloir

▷ Les 1re et 2e personnes du singulier du présent de l'indicatif, et la 2e personne du présent de l'impératif se terminent par un « **x** ».
Le verbe *revouloir* se conjugue selon ce modèle.

Indicatif

Présent		Passé composé		
je	veu**x**	j'	ai	voulu
tu	veu**x**	tu	as	voulu
il	veu**t**	il	a	voulu
nous	voul**ons**	nous	avons	voulu
vous	voul**ez**	vous	avez	voulu
ils	veul**ent**	ils	ont	voulu

Imparfait		Plus-que-parfait		
je	voul**ais**	j'	avais	voulu
tu	voul**ais**	tu	avais	voulu
il	voul**ait**	il	avait	voulu
nous	voul**ions**	nous	avions	voulu
vous	voul**iez**	vous	aviez	voulu
ils	voul**aient**	ils	avaient	voulu

Passé simple		Passé antérieur		
je	voul**us**	j'	eus	voulu
tu	voul**us**	tu	eus	voulu
il	voul**ut**	il	eut	voulu
nous	voul**ûmes**	nous	eûmes	voulu
vous	voul**ûtes**	vous	eûtes	voulu
ils	voul**urent**	ils	eurent	voulu

Futur simple		Futur antérieur		
je	voud**rai**	j'	aurai	voulu
tu	voud**ras**	tu	auras	voulu
il	voud**ra**	il	aura	voulu
nous	voud**rons**	nous	aurons	voulu
vous	voud**rez**	vous	aurez	voulu
ils	voud**ront**	ils	auront	voulu

Conditionnel présent		Conditionnel passé		
je	voud**rais**	j'	aurais	voulu
tu	voud**rais**	tu	aurais	voulu
il	voud**rait**	il	aurait	voulu
nous	voud**rions**	nous	aurions	voulu
vous	voud**riez**	vous	auriez	voulu
ils	voud**raient**	ils	auraient	voulu

Subjonctif

Présent *il faut...*			Passé *il faut...*			
que	je	veuill**e**	que	j'	aie	voulu
que	tu	veuill**es**	que	tu	aies	voulu
qu'	il	veuill**e**	qu'	il	ait	voulu
que	nous	voul**ions**	que	nous	ayons	voulu
que	vous	voul**iez**	que	vous	ayez	voulu
qu'	ils	veuill**ent**	qu'	ils	aient	voulu

Imparfait *il fallait...*			Plus-que-parfait *il fallait...*			
que	je	voul**usse**	que	j'	eusse	voulu
que	tu	voul**usses**	que	tu	eusses	voulu
qu'	il	voul**ût**	qu'	il	eût	voulu
que	nous	voul**ussions**	que	nous	eussions	voulu
que	vous	voul**ussiez**	que	vous	eussiez	voulu
qu'	ils	voul**ussent**	qu'	ils	eussent	voulu

Impératif

Présent			Passé	
veu**x**	ou	veuill**e**	aie	voulu
voul**ons**	ou	veuill**ons**	ayons	voulu
voul**ez**	ou	veuill**ez**	ayez	voulu

Infinitif

Présent	Passé	
voul**oir**	avoir	voulu

Participe

Présent	Passé	
voul**ant**	voul**u**, **ue**, **us**, **ues**	
	ayant	voulu

valoir 115

▷ Les 1re et 2e personnes du singulier du présent de l'indicatif, et la 2e personne du présent de l'impératif se terminent par un « x ».

Les verbes *équivaloir* et *revaloir* se conjuguent selon ce modèle. Le verbe *revaloir* ne s'emploie qu'à l'infinitif, au futur simple et au conditionnel présent.

Indicatif

Présent		Passé composé		
je	vaux	j'	ai	valu
tu	vaux	tu	as	valu
elle	vaut	elle	a	valu
nous	valons	nous	avons	valu
vous	valez	vous	avez	valu
elles	valent	elles	ont	valu

Imparfait		Plus-que-parfait		
je	valais	j'	avais	valu
tu	valais	tu	avais	valu
elle	valait	elle	avait	valu
nous	valions	nous	avions	valu
vous	valiez	vous	aviez	valu
elles	valaient	elles	avaient	valu

Passé simple		Passé antérieur		
je	valus	j'	eus	valu
tu	valus	tu	eus	valu
elle	valut	elle	eut	valu
nous	valûmes	nous	eûmes	valu
vous	valûtes	vous	eûtes	valu
elles	valurent	elles	eurent	valu

Futur simple		Futur antérieur		
je	vaudrai	j'	aurai	valu
tu	vaudras	tu	auras	valu
elle	vaudra	elle	aura	valu
nous	vaudrons	nous	aurons	valu
vous	vaudrez	vous	aurez	valu
elles	vaudront	elles	auront	valu

Conditionnel présent		Conditionnel passé		
je	vaudrais	j'	aurais	valu
tu	vaudrais	tu	aurais	valu
elle	vaudrait	elle	aurait	valu
nous	vaudrions	nous	aurions	valu
vous	vaudriez	vous	auriez	valu
elles	vaudraient	elles	auraient	valu

Subjonctif

Présent *il faut...*		Passé *il faut...*		
que je	vaille	que j'	aie	valu
que tu	vailles	que tu	aies	valu
qu' elle	vaille	qu' elle	ait	valu
que nous	valions	que nous	ayons	valu
que vous	valiez	que vous	ayez	valu
qu' elles	vaillent	qu' elles	aient	valu

Imparfait *il fallait...*		Plus-que-parfait *il fallait...*		
que je	valusse	que j'	eusse	valu
que tu	valusses	que tu	eusses	valu
qu' elle	valût	qu' elle	eût	valu
que nous	valussions	que nous	eussions	valu
que vous	valussiez	que vous	eussiez	valu
qu' elles	valussent	qu' elles	eussent	valu

Impératif

Présent	Passé	
vaux	aie	valu
valons	ayons	valu
valez	ayez	valu

Infinitif

Présent	Passé	
valoir	avoir	valu

Participe

Présent	Passé
valant	valu, ue, us, ues
	ayant valu

116 prévaloir

▷ Les 1re et 2e personnes du singulier du présent de l'indicatif, et la 2e personne du présent de l'impératif se terminent par un « x ».

Indicatif

Présent

je	prévau**x**
tu	prévau**x**
il	prévau**t**
nous	préval**ons**
vous	préval**ez**
ils	préval**ent**

Passé composé

j'	ai	prévalu
tu	as	prévalu
il	a	prévalu
nous	avons	prévalu
vous	avez	prévalu
ils	ont	prévalu

Imparfait

je	préval**ais**
tu	préval**ais**
il	préval**ait**
nous	préval**ions**
vous	préval**iez**
ils	préval**aient**

Plus-que-parfait

j'	avais	prévalu
tu	avais	prévalu
il	avait	prévalu
nous	avions	prévalu
vous	aviez	prévalu
ils	avaient	prévalu

Passé simple

je	préval**us**
tu	préval**us**
il	préval**ut**
nous	préval**ûmes**
vous	préval**ûtes**
ils	préval**urent**

Passé antérieur

j'	eus	prévalu
tu	eus	prévalu
il	eut	prévalu
nous	eûmes	prévalu
vous	eûtes	prévalu
ils	eurent	prévalu

Futur simple

je	prévaud**rai**
tu	prévaud**ras**
il	prévaud**ra**
nous	prévaud**rons**
vous	prévaud**rez**
ils	prévaud**ront**

Futur antérieur

j'	aurai	prévalu
tu	auras	prévalu
il	aura	prévalu
nous	aurons	prévalu
vous	aurez	prévalu
ils	auront	prévalu

Conditionnel présent

je	prévaud**rais**
tu	prévaud**rais**
il	prévaud**rait**
nous	prévaud**rions**
vous	prévaud**riez**
ils	prévaud**raient**

Conditionnel passé

j'	aurais	prévalu
tu	aurais	prévalu
il	aurait	prévalu
nous	aurions	prévalu
vous	auriez	prévalu
ils	auraient	prévalu

Subjonctif

Présent
il faut…

que	je	préval**e**
que	tu	préval**es**
qu'	il	préval**e**
que	nous	préval**ions**
que	vous	préval**iez**
qu'	ils	préval**ent**

Passé
il faut…

que	j'	aie	prévalu
que	tu	aies	prévalu
qu'	il	ait	prévalu
que	nous	ayons	prévalu
que	vous	ayez	prévalu
qu'	ils	aient	prévalu

Imparfait
il fallait…

que	je	préval**usse**
que	tu	préval**usses**
qu'	il	préval**ût**
que	nous	préval**ussions**
que	vous	préval**ussiez**
qu'	ils	préval**ussent**

Plus-que-parfait
il fallait…

que	j'	eusse	prévalu
que	tu	eusses	prévalu
qu'	il	eût	prévalu
que	nous	eussions	prévalu
que	vous	eussiez	prévalu
qu'	ils	eussent	prévalu

Impératif

Présent

prévau**x**
préval**ons**
préval**ez**

Passé

aie	prévalu
ayons	prévalu
ayez	prévalu

Infinitif

Présent

préval**oir**

Passé

avoir prévalu

Participe

Présent

préval**ant**

Passé

préval**u** (*invariable*)
ayant prévalu

savoir 117

▷ Au présent du subjonctif et de l'impératif ainsi qu'au participe présent, le radical devient « sach- ».

Indicatif

Présent		Passé composé		
je	sais	j'	ai	su
tu	sais	tu	as	su
elle	sait	elle	a	su
nous	savons	nous	avons	su
vous	savez	vous	avez	su
elles	savent	elles	ont	su

Imparfait		Plus-que-parfait		
je	savais	j'	avais	su
tu	savais	tu	avais	su
elle	savait	elle	avait	su
nous	savions	nous	avions	su
vous	saviez	vous	aviez	su
elles	savaient	elles	avaient	su

Passé simple		Passé antérieur		
je	sus	j'	eus	su
tu	sus	tu	eus	su
elle	sut	elle	eut	su
nous	sûmes	nous	eûmes	su
vous	sûtes	vous	eûtes	su
elles	surent	elles	eurent	su

Futur simple		Futur antérieur		
je	saurai	j'	aurai	su
tu	sauras	tu	auras	su
elle	saura	elle	aura	su
nous	saurons	nous	aurons	su
vous	saurez	vous	aurez	su
elles	sauront	elles	auront	su

Conditionnel présent		Conditionnel passé		
je	saurais	j'	aurais	su
tu	saurais	tu	aurais	su
elle	saurait	elle	aurait	su
nous	saurions	nous	aurions	su
vous	sauriez	vous	auriez	su
elles	sauraient	elles	auraient	su

Subjonctif

Présent *il faut...*			Passé *il faut...*			
que	je	sache	que	j'	aie	su
que	tu	saches	que	tu	aies	su
qu'	elle	sache	qu'	elle	ait	su
que	nous	sachions	que	nous	ayons	su
que	vous	sachiez	que	vous	ayez	su
qu'	elles	sachent	qu'	elles	aient	su

Imparfait *il fallait...*			Plus-que-parfait *il fallait...*			
que	je	susse	que	j'	eusse	su
que	tu	susses	que	tu	eusses	su
qu'	elle	sût	qu'	elle	eût	su
que	nous	sussions	que	nous	eussions	su
que	vous	sussiez	que	vous	eussiez	su
qu'	elles	sussent	qu'	elles	eussent	su

Impératif

Présent	Passé	
sache	aie	su
sachons	ayons	su
sachez	ayez	su

Infinitif

Présent	Passé
savoir	avoir su

Participe

Présent	Passé
sachant	su, sue, sus, sues
	ayant su

118 asseoir *j'assois*

▷ Le « i » du radical devient parfois « y ».

▷ On conserve les terminaisons *-ions* et *-iez* malgré la prononciation du « y ».

Au présent de l'impératif, les formes correctes du verbe *s'asseoir* PR sont *assois-toi* ou *assieds-toi*. Le verbe *rasseoir* se conjugue selon ce modèle.

Indicatif

Présent		Passé composé		
j'	assois	j'	ai	assis
tu	assois	tu	as	assis
il	assoit	il	a	assis
nous	assoyons	nous	avons	assis
vous	assoyez	vous	avez	assis
ils	assoient	ils	ont	assis

Imparfait		Plus-que-parfait		
j'	assoyais	j'	avais	assis
tu	assoyais	tu	avais	assis
il	assoyait	il	avait	assis
nous	assoyions	nous	avions	assis
vous	assoyiez	vous	aviez	assis
ils	assoyaient	ils	avaient	assis

Passé simple		Passé antérieur		
j'	assis	j'	eus	assis
tu	assis	tu	eus	assis
il	assit	il	eut	assis
nous	assîmes	nous	eûmes	assis
vous	assîtes	vous	eûtes	assis
ils	assirent	ils	eurent	assis

Futur simple		Futur antérieur		
j'	assoirai	j'	aurai	assis
tu	assoiras	tu	auras	assis
il	assoira	il	aura	assis
nous	assoirons	nous	aurons	assis
vous	assoirez	vous	aurez	assis
ils	assoiront	ils	auront	assis

Conditionnel présent		Conditionnel passé		
j'	assoirais	j'	aurais	assis
tu	assoirais	tu	aurais	assis
il	assoirait	il	aurait	assis
nous	assoirions	nous	aurions	assis
vous	assoiriez	vous	auriez	assis
ils	assoiraient	ils	auraient	assis

Subjonctif

Présent *il faut...*		Passé *il faut...*		
que j'	assoie	que j'	aie	assis
que tu	assoies	que tu	aies	assis
qu' il	assoie	qu' il	ait	assis
que nous	assoyions	que nous	ayons	assis
que vous	assoyiez	que vous	ayez	assis
qu' ils	assoient	qu' ils	aient	assis

Imparfait *il fallait...*		Plus-que-parfait *il fallait...*		
que j'	assisse	que j'	eusse	assis
que tu	assisses	que tu	eusses	assis
qu' il	assît	qu' il	eût	assis
que nous	assissions	que nous	eussions	assis
que vous	assissiez	que vous	eussiez	assis
qu' ils	assissent	qu' ils	eussent	assis

Impératif

Présent	Passé	
assois	aie	assis
assoyons	ayons	assis
assoyez	ayez	assis

Infinitif

Présent	Passé	
asseoir	avoir	assis

Participe

Présent	Passé	
assoyant	assis, ise, is, ises	
	ayant	assis

asseoir *j'assieds* 119

▷ Au présent de l'indicatif, la 3e personne du singulier se termine par un « **d** ».

▷ On conserve les terminaisons ***-ions*** et ***-iez*** malgré la prononciation du « y ».

Au présent de l'impératif, les formes correctes du verbe *s'asseoir* (PR) sont *assois-toi* ou *assieds-toi*. Le verbe *rasseoir* se conjugue sur ce modèle.

Indicatif

Présent		Passé composé		
j'	assieds	j'	ai	assis
tu	assieds	tu	as	assis
elle	assie**d**	elle	a	assis
nous	assey**ons**	nous	avons	assis
vous	assey**ez**	vous	avez	assis
elles	assey**ent**	elles	ont	assis

Imparfait		Plus-que-parfait		
j'	assey**ais**	j'	avais	assis
tu	assey**ais**	tu	avais	assis
elle	assey**ait**	elle	avait	assis
nous	asse**yions**	nous	avions	assis
vous	asse**yiez**	vous	aviez	assis
elles	assey**aient**	elles	avaient	assis

Passé simple		Passé antérieur		
j'	ass**is**	j'	eus	assis
tu	ass**is**	tu	eus	assis
elle	ass**it**	elle	eut	assis
nous	ass**îmes**	nous	eûmes	assis
vous	ass**îtes**	vous	eûtes	assis
elles	ass**irent**	elles	eurent	assis

Futur simple		Futur antérieur		
j'	assié**rai**	j'	aurai	assis
tu	assié**ras**	tu	auras	assis
elle	assié**ra**	elle	aura	assis
nous	assié**rons**	nous	aurons	assis
vous	assié**rez**	vous	aurez	assis
elles	assié**ront**	elles	auront	assis

Conditionnel présent		Conditionnel passé		
j'	assié**rais**	j'	aurais	assis
tu	assié**rais**	tu	aurais	assis
elle	assié**rait**	elle	aurait	assis
nous	assié**rions**	nous	aurions	assis
vous	assié**riez**	vous	auriez	assis
elles	assié**raient**	elles	auraient	assis

Subjonctif

Présent *il faut...*			Passé *il faut...*			
que	j'	assey**e**	que	j'	aie	assis
que	tu	assey**es**	que	tu	aies	assis
qu'	elle	assey**e**	qu'	elle	ait	assis
que	nous	asse**yions**	que	nous	ayons	assis
que	vous	asse**yiez**	que	vous	ayez	assis
qu'	elles	assey**ent**	qu'	elles	aient	assis

Imparfait *il fallait...*			Plus-que-parfait *il fallait ...*			
que	j'	ass**isse**	que	j'	eusse	assis
que	tu	ass**isses**	que	tu	eusses	assis
qu'	elle	ass**ît**	qu'	elle	eût	assis
que	nous	ass**issions**	que	nous	eussions	assis
que	vous	ass**issiez**	que	vous	eussiez	assis
qu'	elles	ass**issent**	qu'	elles	eussent	assis

Impératif

Présent	Passé	
assieds	aie	assis
assey**ons**	ayons	assis
assey**ez**	ayez	assis

Infinitif

Présent	Passé	
ass**eoir**	avoir	assis

Participe

Présent	Passé
assey**ant**	ass**is**, **ise**, **is**, **ises**
	ayant assis

120 surseoir

▷ Au futur simple et au conditionnel présent, on trouve un « e » dans le radical.
▷ On conserve les terminaisons *-ions* et *-iez* malgré la prononciation du « y ».

Indicatif

Présent

je	sursois
tu	sursois
il	sursoit
nous	sursoyons
vous	sursoyez
ils	sursoient

Passé composé

j'	ai	sursis
tu	as	sursis
il	a	sursis
nous	avons	sursis
vous	avez	sursis
ils	ont	sursis

Imparfait

je	sursoyais
tu	sursoyais
il	sursoyait
nous	sursoyions
vous	sursoyiez
ils	sursoyaient

Plus-que-parfait

j'	avais	sursis
tu	avais	sursis
il	avait	sursis
nous	avions	sursis
vous	aviez	sursis
ils	avaient	sursis

Passé simple

je	sursis
tu	sursis
il	sursit
nous	sursîmes
vous	sursîtes
ils	sursirent

Passé antérieur

j'	eus	sursis
tu	eus	sursis
il	eut	sursis
nous	eûmes	sursis
vous	eûtes	sursis
ils	eurent	sursis

Futur simple

je	surseoirai
tu	surseoiras
il	surseoira
nous	surseoirons
vous	surseoirez
ils	surseoiront

Futur antérieur

j'	aurai	sursis
tu	auras	sursis
il	aura	sursis
nous	aurons	sursis
vous	aurez	sursis
ils	auront	sursis

Conditionnel présent

je	surseoirais
tu	surseoirais
il	surseoirait
nous	surseoirions
vous	surseoiriez
ils	surseoiraient

Conditionnel passé

j'	aurais	sursis
tu	aurais	sursis
il	aurait	sursis
nous	aurions	sursis
vous	auriez	sursis
ils	auraient	sursis

Subjonctif

Présent
il faut...

que	je	sursoie
que	tu	sursoies
qu'	il	sursoie
que	nous	sursoyions
que	vous	sursoyiez
qu'	ils	sursoient

Passé
il faut...

que	j'	aie	sursis
que	tu	aies	sursis
qu'	il	ait	sursis
que	nous	ayons	sursis
que	vous	ayez	sursis
qu'	ils	aient	sursis

Imparfait
il fallait...

que	je	sursisse
que	tu	sursisses
qu'	il	sursît
que	nous	sursissions
que	vous	sursissiez
qu'	ils	sursissent

Plus-que-parfait
il fallait...

que	j'	eusse	sursis
que	tu	eusses	sursis
qu'	il	eût	sursis
que	nous	eussions	sursis
que	vous	eussiez	sursis
qu'	ils	eussent	sursis

Impératif

Présent

sursois
sursoyons
sursoyez

Passé

aie sursis
ayons sursis
ayez sursis

Infinitif

Présent

surseoir

Passé

avoir sursis

Participe

Présent

sursoyant

Passé

sursis, ise, is, ises
ayant sursis

voir 121

▷ Le futur simple et le conditionnel présent comportent « rr ».

▷ On conserve les terminaisons *-ions* et *-iez* malgré la prononciation du « y ».
Les verbes *revoir* et *entrevoir* se conjuguent selon ce modèle.

Indicatif

Présent		Passé composé		
je	vois	j'	ai	vu
tu	vois	tu	as	vu
elle	voit	elle	a	vu
nous	voyons	nous	avons	vu
vous	voyez	vous	avez	vu
elles	voient	elles	ont	vu

Imparfait		Plus-que-parfait		
je	voyais	j'	avais	vu
tu	voyais	tu	avais	vu
elle	voyait	elle	avait	vu
nous	voyions	nous	avions	vu
vous	voyiez	vous	aviez	vu
elles	voyaient	elles	avaient	vu

Passé simple		Passé antérieur		
je	vis	j'	eus	vu
tu	vis	tu	eus	vu
elle	vit	elle	eut	vu
nous	vîmes	nous	eûmes	vu
vous	vîtes	vous	eûtes	vu
elles	virent	elles	eurent	vu

Futur simple		Futur antérieur		
je	verrai	j'	aurai	vu
tu	verras	tu	auras	vu
elle	verra	elle	aura	vu
nous	verrons	nous	aurons	vu
vous	verrez	vous	aurez	vu
elles	verront	elles	auront	vu

Conditionnel présent		Conditionnel passé		
je	verrais	j'	aurais	vu
tu	verrais	tu	aurais	vu
elle	verrait	elle	aurait	vu
nous	verrions	nous	aurions	vu
vous	verriez	vous	auriez	vu
elles	verraient	elles	auraient	vu

Subjonctif

Présent *il faut...*			Passé *il faut...*			
que	je	voie	que	j'	aie	vu
que	tu	voies	que	tu	aies	vu
qu'	elle	voie	qu'	elle	ait	vu
que	nous	voyions	que	nous	ayons	vu
que	vous	voyiez	que	vous	ayez	vu
qu'	elles	voient	qu'	elles	aient	vu

Imparfait *il fallait...*			Plus-que-parfait *il fallait...*			
que	je	visse	que	j'	eusse	vu
que	tu	visses	que	tu	eusses	vu
qu'	elle	vît	qu'	elle	eût	vu
que	nous	vissions	que	nous	eussions	vu
que	vous	vissiez	que	vous	eussiez	vu
qu'	elles	vissent	qu'	elles	eussent	vu

Impératif

Présent	Passé	
vois	aie	vu
voyons	ayons	vu
voyez	ayez	vu

Infinitif

Présent	Passé	
voir	avoir	vu

Participe

Présent	Passé
voyant	vu, vue, vus, vues
	ayant vu

122 prévoir

▷ On conserve les terminaisons *-ions* et *-iez* malgré la prononciation du « y ».

Indicatif

Présent		Passé composé		
je	prévois	j'	ai	prévu
tu	prévois	tu	as	prévu
il	prévoit	il	a	prévu
nous	prévoyons	nous	avons	prévu
vous	prévoyez	vous	avez	prévu
ils	prévoient	ils	ont	prévu

Imparfait		Plus-que-parfait		
je	prévoyais	j'	avais	prévu
tu	prévoyais	tu	avais	prévu
il	prévoyait	il	avait	prévu
nous	prévoyions	nous	avions	prévu
vous	prévoyiez	vous	aviez	prévu
ils	prévoyaient	ils	avaient	prévu

Passé simple		Passé antérieur		
je	prévis	j'	eus	prévu
tu	prévis	tu	eus	prévu
il	prévit	il	eut	prévu
nous	prévîmes	nous	eûmes	prévu
vous	prévîtes	vous	eûtes	prévu
ils	prévirent	ils	eurent	prévu

Futur simple		Futur antérieur		
je	prévoirai	j'	aurai	prévu
tu	prévoiras	tu	auras	prévu
il	prévoira	il	aura	prévu
nous	prévoirons	nous	aurons	prévu
vous	prévoirez	vous	aurez	prévu
ils	prévoiront	ils	auront	prévu

Conditionnel présent		Conditionnel passé		
je	prévoirais	j'	aurais	prévu
tu	prévoirais	tu	aurais	prévu
il	prévoirait	il	aurait	prévu
nous	prévoirions	nous	aurions	prévu
vous	prévoiriez	vous	auriez	prévu
ils	prévoiraient	ils	auraient	prévu

Subjonctif

Présent *il faut...*			Passé *il faut...*			
que	je	prévoie	que	j'	aie	prévu
que	tu	prévoies	que	tu	aies	prévu
qu'	il	prévoie	qu'	il	ait	prévu
que	nous	prévoyions	que	nous	ayons	prévu
que	vous	prévoyiez	que	vous	ayez	prévu
qu'	ils	prévoient	qu'	ils	aient	prévu

Imparfait *il fallait...*			Plus-que-parfait *il fallait...*			
que	je	prévisse	que	j'	eusse	prévu
que	tu	prévisses	que	tu	eusses	prévu
qu'	il	prévît	qu'	il	eût	prévu
que	nous	prévissions	que	nous	eussions	prévu
que	vous	prévissiez	que	vous	eussiez	prévu
qu'	ils	prévissent	qu'	ils	eussent	prévu

Impératif

Présent	Passé	
prévois	aie	prévu
prévoyons	ayons	prévu
prévoyez	ayez	prévu

Infinitif

Présent	Passé	
prévoir	avoir	prévu

Participe

Présent	Passé	
prévoyant	prévu, ue, us, ues	
	ayant	prévu

recevoir 123

▷ Le « c » du radical devient « ç » devant les voyelles ***o*** et ***u*** pour conserver la prononciation [s].

Les verbes *apercev**oir***, *concev**oir***, *décev**oir***, *entrapercev**oir*** et *percev**oir*** se conjuguent selon ce modèle.

Indicatif

Présent		Passé composé		
je	reçois	j'	ai	reçu
tu	reçois	tu	as	reçu
elle	reçoit	elle	a	reçu
nous	recevons	nous	avons	reçu
vous	recevez	vous	avez	reçu
elles	reçoivent	elles	ont	reçu

Imparfait		Plus-que-parfait		
je	recevais	j'	avais	reçu
tu	recevais	tu	avais	reçu
elle	recevait	elle	avait	reçu
nous	recevions	nous	avions	reçu
vous	receviez	vous	aviez	reçu
elles	recevaient	elles	avaient	reçu

Passé simple		Passé antérieur		
je	reçus	j'	eus	reçu
tu	reçus	tu	eus	reçu
elle	reçut	elle	eut	reçu
nous	reçûmes	nous	eûmes	reçu
vous	reçûtes	vous	eûtes	reçu
elles	reçurent	elles	eurent	reçu

Futur simple		Futur antérieur		
je	recevrai	j'	aurai	reçu
tu	recevras	tu	auras	reçu
elle	recevra	elle	aura	reçu
nous	recevrons	nous	aurons	reçu
vous	recevrez	vous	aurez	reçu
elles	recevront	elles	auront	reçu

Conditionnel présent		Conditionnel passé		
je	recevrais	j'	aurais	reçu
tu	recevrais	tu	aurais	reçu
elle	recevrait	elle	aurait	reçu
nous	recevrions	nous	aurions	reçu
vous	recevriez	vous	auriez	reçu
elles	recevraient	elles	auraient	reçu

Subjonctif

Présent *il faut…*		Passé *il faut…*		
que je	reçoive	que j'	aie	reçu
que tu	reçoives	que tu	aies	reçu
qu' elle	reçoive	qu' elle	ait	reçu
que nous	recevions	que nous	ayons	reçu
que vous	receviez	que vous	ayez	reçu
qu' elles	reçoivent	qu' elles	aient	reçu

Imparfait *il fallait…*		Plus-que-parfait *il fallait…*		
que je	reçusse	que j'	eusse	reçu
que tu	reçusses	que tu	eusses	reçu
qu' elle	reçût	qu' elle	eût	reçu
que nous	reçussions	que nous	eussions	reçu
que vous	reçussiez	que vous	eussiez	reçu
qu' elles	reçussent	qu' elles	eussent	reçu

Impératif

Présent	Passé	
reçois	aie	reçu
recevons	ayons	reçu
recevez	ayez	reçu

Infinitif

Présent	Passé	
recevoir	avoir	reçu

Participe

Présent	Passé	
recevant	reçu, ue, us, ues	
	ayant	reçu

124 devoir

▷ Le participe passé masculin singulier se termine par un « û » : *dû*.

Indicatif

Présent		Passé composé		
je	dois	j'	ai	dû
tu	dois	tu	as	dû
il	doit	il	a	dû
nous	devons	nous	avons	dû
vous	devez	vous	avez	dû
ils	doivent	ils	ont	dû

Imparfait		Plus-que-parfait		
je	devais	j'	avais	dû
tu	devais	tu	avais	dû
il	devait	il	avait	dû
nous	devions	nous	avions	dû
vous	deviez	vous	aviez	dû
ils	devaient	ils	avaient	dû

Passé simple		Passé antérieur		
je	dus	j'	eus	dû
tu	dus	tu	eus	dû
il	dut	il	eut	dû
nous	dûmes	nous	eûmes	dû
vous	dûtes	vous	eûtes	dû
ils	durent	ils	eurent	dû

Futur simple		Futur antérieur		
je	devrai	j'	aurai	dû
tu	devras	tu	auras	dû
il	devra	il	aura	dû
nous	devrons	nous	aurons	dû
vous	devrez	vous	aurez	dû
ils	devront	ils	auront	dû

Conditionnel présent		Conditionnel passé		
je	devrais	j'	aurais	dû
tu	devrais	tu	aurais	dû
il	devrait	il	aurait	dû
nous	devrions	nous	aurions	dû
vous	devriez	vous	auriez	dû
ils	devraient	ils	auraient	dû

Subjonctif

Présent *il se peut...*		Passé *il se peut...*		
que je	doive	que j'	aie	dû
que tu	doives	que tu	aies	dû
qu' il	doive	qu' il	ait	dû
que nous	devions	que nous	ayons	dû
que vous	deviez	que vous	ayez	dû
qu' ils	doivent	qu' ils	aient	dû

Imparfait *il se pouvait...*		Plus-que-parfait *il se pouvait...*		
que je	dusse	que j'	eusse	dû
que tu	dusses	que tu	eusses	dû
qu' il	dût	qu' il	eût	dû
que nous	dussions	que nous	eussions	dû
que vous	dussiez	que vous	eussiez	dû
qu' ils	dussent	qu' ils	eussent	dû

Impératif

Présent	Passé	
dois	aie	dû
devons	ayons	dû
devez	ayez	dû

Infinitif

Présent	Passé
devoir	avoir dû

Participe

Présent	Passé
devant	dû, due, dus, dues
	ayant dû

promouvoir 125

Les verbes *mouvoir* et *émouvoir* se conjuguent selon ce modèle. Le participe passé de *mouvoir* est *mû, mue, mus, mues.*

Indicatif

Présent		Passé composé		
je	promeus	j'	ai	promu
tu	promeus	tu	as	promu
elle	promeut	elle	a	promu
nous	promouvons	nous	avons	promu
vous	promouvez	vous	avez	promu
elles	promeuvent	elles	ont	promu

Imparfait		Plus-que-parfait		
je	promouvais	j'	avais	promu
tu	promouvais	tu	avais	promu
elle	promouvait	elle	avait	promu
nous	promouvions	nous	avions	promu
vous	promouviez	vous	aviez	promu
elles	promouvaient	elles	avaient	promu

Passé simple		Passé antérieur		
je	promus	j'	eus	promu
tu	promus	tu	eus	promu
elle	promut	elle	eut	promu
nous	promûmes	nous	eûmes	promu
vous	promûtes	vous	eûtes	promu
elles	promurent	elles	eurent	promu

Futur simple		Futur antérieur		
je	promouvrai	j'	aurai	promu
tu	promouvras	tu	auras	promu
elle	promouvra	elle	aura	promu
nous	promouvrons	nous	aurons	promu
vous	promouvrez	vous	aurez	promu
elles	promouvront	elles	auront	promu

Conditionnel présent		Conditionnel passé		
je	promouvrais	j'	aurais	promu
tu	promouvrais	tu	aurais	promu
elle	promouvrait	elle	aurait	promu
nous	promouvrions	nous	aurions	promu
vous	promouvriez	vous	auriez	promu
elles	promouvraient	elles	auraient	promu

Subjonctif

Présent *il faut...*		Passé *il faut...*		
que je	promeuve	que j'	aie	promu
que tu	promeuves	que tu	aies	promu
qu' elle	promeuve	qu' elle	ait	promu
que nous	promouvions	que nous	ayons	promu
que vous	promouviez	que vous	ayez	promu
qu' elles	promeuvent	qu' elles	aient	promu

Imparfait *il fallait...*		Plus-que-parfait *il fallait...*		
que je	promusse	que j'	eusse	promu
que tu	promusses	que tu	eusses	promu
qu' elle	promût	qu' elle	eût	promu
que nous	promussions	que nous	eussions	promu
que vous	promussiez	que vous	eussiez	promu
qu' elles	promussent	qu' elles	eussent	promu

Impératif

Présent	Passé	
promeus	aie	promu
promouvons	ayons	promu
promouvez	ayez	promu

Infinitif

Présent	Passé	
promouvoir	avoir	promu

Participe

Présent	Passé	
promouvant	promu, ue, us, ues	
	ayant	promu

126 pourvoir

▷ On conserve les terminaisons *-ions* et *-iez* malgré la prononciation du « y ».

Indicatif

Présent		Passé composé		
je	pourvois	j'	ai	pourvu
tu	pourvois	tu	as	pourvu
il	pourvoit	il	a	pourvu
nous	pourvoyons	nous	avons	pourvu
vous	pourvoyez	vous	avez	pourvu
ils	pourvoient	ils	ont	pourvu

Imparfait		Plus-que-parfait		
je	pourvoyais	j'	avais	pourvu
tu	pourvoyais	tu	avais	pourvu
il	pourvoyait	il	avait	pourvu
nous	pourvoyions	nous	avions	pourvu
vous	pourvoyiez	vous	aviez	pourvu
ils	pourvoyaient	ils	avaient	pourvu

Passé simple		Passé antérieur		
je	pourvus	j'	eus	pourvu
tu	pourvus	tu	eus	pourvu
il	pourvut	il	eut	pourvu
nous	pourvûmes	nous	eûmes	pourvu
vous	pourvûtes	vous	eûtes	pourvu
ils	pourvurent	ils	eurent	pourvu

Futur simple		Futur antérieur		
je	pourvoirai	j'	aurai	pourvu
tu	pourvoiras	tu	auras	pourvu
il	pourvoira	il	aura	pourvu
nous	pourvoirons	nous	aurons	pourvu
vous	pourvoirez	vous	aurez	pourvu
ils	pourvoiront	ils	auront	pourvu

Conditionnel présent		Conditionnel passé		
je	pourvoirais	j'	aurais	pourvu
tu	pourvoirais	tu	aurais	pourvu
il	pourvoirait	il	aurait	pourvu
nous	pourvoirions	nous	aurions	pourvu
vous	pourvoiriez	vous	auriez	pourvu
ils	pourvoiraient	ils	auraient	pourvu

Subjonctif

Présent *il faut...*		Passé *il faut...*		
que je	pourvoie	que j'	aie	pourvu
que tu	pourvoies	que tu	aies	pourvu
qu' il	pourvoie	qu' il	ait	pourvu
que nous	pourvoyions	que nous	ayons	pourvu
que vous	pourvoyiez	que vous	ayez	pourvu
qu' ils	pourvoient	qu' ils	aient	pourvu

Imparfait *il fallait...*		Plus-que-parfait *il fallait...*		
que je	pourvusse	que j'	eusse	pourvu
que tu	pourvusses	que tu	eusses	pourvu
qu' il	pourvût	qu' il	eût	pourvu
que nous	pourvussions	que nous	eussions	pourvu
que vous	pourvussiez	que vous	eussiez	pourvu
qu' ils	pourvussent	qu' ils	eussent	pourvu

Impératif

Présent	Passé	
pourvois	aie	pourvu
pourvoyons	ayons	pourvu
pourvoyez	ayez	pourvu

Infinitif

Présent	Passé	
pourvoir	avoir	pourvu

Participe

Présent	Passé	
pourvoyant	pourvu, ue, us, ues	
	ayant	pourvu

falloir · pleuvoir 127

Ces verbes ne s'emploient qu'aux temps et aux personnes indiqués ci-dessous.

falloir

Indicatif

Présent
il faut

Passé composé
il a fallu

Imparfait
il fallait

Plus-que-parfait
il avait fallu

Passé simple
il fallut

Passé antérieur
il eut fallu

Futur simple
il faudra

Futur antérieur
il aura fallu

Conditionnel présent
il faudrait

Conditionnel passé
il aurait fallu

Subjonctif

Présent
Il se peut...
qu' il faille

Passé
Il se peut...
qu' il ait fallu

Imparfait
Il se pouvait...
qu' il fallût

Plus-que-parfait
Il se pouvait...
qu' il eût fallu

Infinitif

Présent
falloir

Participe

Passé
fallu (*invariable*)

pleuvoir

Le verbe *repleuvoir* se conjugue selon ce modèle.

Indicatif

Présent
il pleut

Passé composé
il a plu

Imparfait
il pleuvait

Plus-que-parfait
il avait plu

Passé simple
il plut

Passé antérieur
il eut plu

Futur simple
il pleuvra

Futur antérieur
il aura plu

Conditionnel présent
il pleuvrait

Conditionnel passé
il aurait plu

Subjonctif

Présent
Il faut...
qu' il pleuve

Passé
Il faut...
qu' il ait plu

Imparfait
Il fallait...
qu' il plût

Plus-que-parfait
Il fallait...
qu' il eût plu

Infinitif

Présent
pleuvoir

Participe

Passé
plu (*invariable*)

128 échoir

Le verbe *échoir* ne s'emploie qu'aux temps et aux personnes indiqués ci-dessous.

Indicatif

Présent	Passé composé
–	–
–	–
il, elle échoit ou échet	il, elle est échu, ue
–	–
–	–
ils, elles échoient ou échéent	ils, elles sont échus, ues

Imparfait	Plus-que-parfait
–	–
–	–
il, elle échoyait	il, elle était échu, ue
–	–
–	–
ils, elles échoyaient	ils, elles étaient échus, ues

Passé simple	Passé antérieur
–	–
–	–
il, elle échut	il, elle fut échu, ue
–	–
–	–
ils, elles échurent	ils, elles furent échus, ues

Futur simple	Futur antérieur
–	–
–	–
il, elle échoira ou écherra	il, elle sera échu, ue
–	–
–	–
ils, elles échoiront ou écherront	ils, elles seront échus, ues

Conditionnel présent	Conditionnel passé
–	–
–	–
il, elle échoirait ou écherrait	il, elle serait échu, ue
–	–
–	–
ils, elles échoiraient ou écherraient	ils, elles seraient échus, ues

Subjonctif

Présent	Passé
il faut...	*il faut...*
–	–
–	–
qu' il, elle échoie ou échée	qu' il, elle sois échu, ue
–	–
–	–
qu' ils, elles échoient ou échéent	qu' ils, elles soient échus, ues

Imparfait	Plus-que-parfait
il fallait...	*il fallait...*
–	–
–	–
qu' il, elle échût	qu' il, elle fût échu, ue
–	–
–	–
qu' ils, elles échussent	qu' ils, elles fussent échus, ues

Impératif

Présent	Passé
–	
–	–
–	–

Infinitif

Présent	Passé
échoir	être échu, ue, us, ues

Participe

Présent	Passé
échéant	échu, ue, us, ues étant échu, ue, us, ues

déchoir 129

Le verbe *déchoir* ne s'emploie qu'aux temps indiqués ci-dessous.
Le verbe *choir* A/E se conjugue partiellement selon ce modèle (voir l'Index des verbes).
Déchoir et *choir* peuvent se conjuguer aux temps composés avec l'auxiliaire *avoir* ou *être*.

Indicatif

Présent		Passé composé		
je	déchois	je	suis	déchu, ue
tu	déchois	tu	es	déchu, ue
il, elle	déchoit	il, elle	est	déchu, ue
nous	déchoyons	nous	sommes	déchus, ues
vous	déchoyez	vous	êtes	déchus, ues
ils, elles	déchoient	ils, elles	sont	déchus, ues

Imparfait		Plus-que-parfait		
–		j'	étais	déchu, ue
–		tu	étais	déchu, ue
–		il, elle	était	déchu, ue
–		nous	étions	déchus, ues
–		vous	étiez	déchus, ues
–		ils, elles	étaient	déchus, ues

Passé simple		Passé antérieur		
je	déchus	je	fus	déchu, ue
tu	déchus	tu	fus	déchu, ue
il, elle	déchut	il, elle	fut	déchu, ue
nous	déchûmes	nous	fûmes	déchus, ues
vous	déchûtes	vous	fûtes	déchus, ues
ils, elles	déchurent	ils, elles	furent	déchus, ues

Futur simple		Futur antérieur		
je	déchoirai	je	serai	déchu, ue
tu	déchoiras	tu	seras	déchu, ue
il, elle	déchoira	il, elle	sera	déchu, ue
nous	déchoirons	nous	serons	déchus, ues
vous	déchoirez	vous	serez	déchus, ues
ils, elles	déchoiront	ils, elles	seront	déchus, ues

Conditionnel présent		Conditionnel passé		
je	déchoirais	je	serais	déchu, ue
tu	déchoirais	tu	serais	déchu, ue
il, elle	déchoirait	il, elle	serait	déchu, ue
nous	déchoirions	nous	serions	déchus, ues
vous	déchoiriez	vous	seriez	déchus, ues
ils, elles	déchoiraient	ils, elles	seraient	déchus, ues

Subjonctif

Présent *il faut...*			Passé *il faut...*			
que	je	déchoie	que	je	sois	déchu, ue
que	tu	déchoies	que	tu	sois	déchu, ue
qu'	il, elle	déchoie	qu'	il, elle	soit	déchu, ue
que	nous	déchoyions	que	nous	soyons	déchus, ues
que	vous	déchoyiez	que	vous	soyez	déchus, ues
qu'	ils, elles	déchoient	qu'	ils, elles	soient	déchus, ues

Imparfait *il fallait...*			Plus-que-parfait *il fallait...*			
que	je	déchusse	que	je	fusse	déchu, ue
que	tu	déchusses	que	tu	fusses	déchu, ue
qu'	il, elle	déchût	qu'	il, elle	fût	déchu, ue
que	nous	déchussions	que	nous	fussions	déchus, ues
que	vous	déchussiez	que	vous	fussiez	déchus, ues
qu'	ils, elles	déchussent	qu'	ils, elles	fussent	déchus, ues

Impératif

Présent	Passé
–	–
–	–
–	–

Infinitif

Présent	Passé
déchoir	être déchu, ue, us, ues

Participe

Présent	Passé
–	déchu, ue, us, ues
	étant déchu, ue, us, ues

Grammaire du verbe

LES CATÉGORIES DE VERBES

Définition

Le verbe est le **noyau du groupe verbal** (GV). Ce groupe décrit ce que le sujet fait ou ce qu'il est. Le verbe permet de situer dans le temps (passé, présent ou futur) une action ou un fait exprimé par la phrase.

On peut classer les verbes en sept catégories.

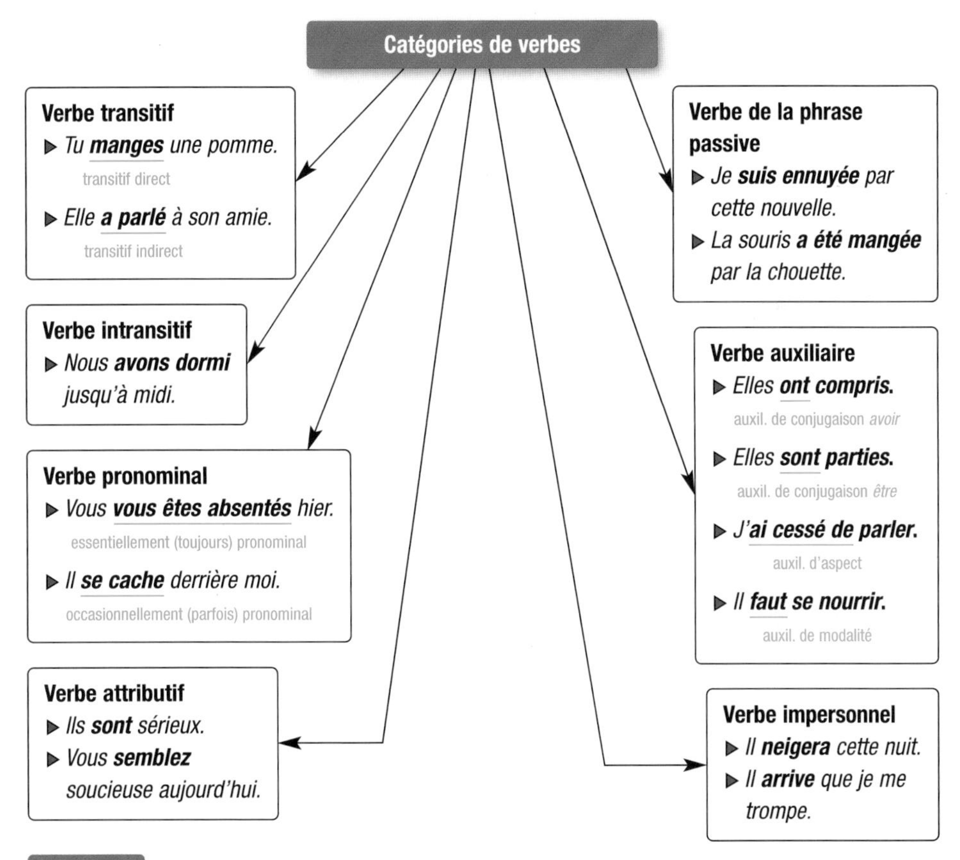

Remarque

1. Un verbe peut appartenir à plusieurs catégories en même temps.

   ▶ *Il **faut** se nourrir.*

   Le verbe ***faut*** (*falloir*) est à la fois **auxiliaire de modalité** et **verbe impersonnel.**

2. Un même verbe peut appartenir à différentes catégories selon son sens.

   ▶ *Vous **avez disposé** de ce cadeau à votre guise.*
   Le verbe ***avez*** (*avoir*) est employé ici comme auxiliaire de conjugaison pour former le passé composé du verbe *disposer.*

   ▶ *Comme vous **avez** de grandes dents!*
   Le verbe ***avez*** (*avoir* dans le sens de *posséder*) est un verbe transitif direct.

Le verbe transitif

Le verbe transitif direct (voir L'accord du participe passé avec l'auxiliaire *avoir*, p. **163**)

Définition

Le verbe **transitif direct** se construit avec un complément direct (CD). On ne peut déplacer ou effacer le CD sans rendre la phrase incorrecte ou sans modifier le sens du verbe; le CD est un constituant obligatoire du groupe verbal (GV).

- *Tu **manges** une pomme.* (une pomme : CD)
- *Elles **ont dit** la vérité.* (la vérité : CD)

Le verbe transitif indirect

Définition

Le verbe **transitif indirect** se construit avec un complément indirect (CI) et à l'aide d'une préposition (à, de, pour, sans, par, avec, en, etc.). On ne peut déplacer ou effacer le CI sans rendre la phrase incorrecte ou sans modifier le sens du verbe; le CI est un constituant obligatoire du groupe verbal (GV).

- *Elle **a parlé** avec son amie.* (avec son amie : CI)
- *Nous **ressemblons** à nos parents.* (à nos parents : CI)
- *Ces crayons lui **appartiennent**.* (lui : CI)

  Dans cet exemple, le CI n'est pas lié au verbe par une préposition puisqu'il est remplacé par le pronom personnel ***lui***.

Remarque

Un verbe peut être à la fois transitif direct et transitif indirect.

- *Vous **distribuez** vos documents à tous les élèves.* (vos documents : CD ; à tous les élèves : CI)

Attention !

Certains verbes transitifs indirects peuvent être liés à des CI au moyen de différentes prépositions, ce qui modifie parfois leur sens. Les dictionnaires usuels présentent habituellement les emplois des différentes prépositions de ces verbes. C'est pourquoi il est nécessaire de les consulter pour s'assurer du bon usage d'une préposition selon le sens du verbe recherché.

Le verbe intransitif

Définition

Le verbe **intransitif** ne peut pas être construit avec un complément direct (CD) ou un complément indirect (CI). Les groupes de mots qui complètent la phrase ou modifient le verbe sont des groupes facultatifs. Ils peuvent être effacés ou déplacés sans rendre la phrase incorrecte.

- ▶ *Mon enseignant* ***blague*** *(blaguer) de temps à autre.*
- ▶ *Vous* ***avez agi*** *(agir) sous le coup de la colère.*
- ▶ *Cet arbre* ***croît*** *(croître) très rapidement.*

Remarque

Un même verbe peut être transitif ou intransitif selon son sens.

▶ ***Approchez*** *votre chaise, s'il vous plaît.*
CD

Le verbe *approcher* dans le sens d'*avancer* est un verbe transitif direct.

▶ *Elle* ***approchait*** *de son but.*
CI

Le verbe *approcher* dans le sens d'*être près* est un verbe transitif indirect.

▶ *L'heure de tombée* ***approche.***
Le verbe *approcher* dans le sens d'*être proche dans le temps* est un verbe intransitif.

Le verbe pronominal (voir L'accord du participe passé du verbe pronominal, p. **162**)

Définition

On reconnaît un verbe **pronominal** par la présence, à l'infinitif, du pronom personnel ***se*** ou ***s'*** et par la présence, aux formes conjuguées, des pronoms personnels ***me, m', te, t', toi, se, s', nous*** et ***vous.*** Aux temps composés, ces verbes se conjuguent avec l'auxiliaire *être.*

- ▶ *Inutile de* ***vous acharner*** *(s'acharner) sur ce travail.*
- ▶ *Nous* ***nous calmâmes*** *(se calmer) après quelques minutes.*
- ▶ *Elles* ***se sont présentées*** *(se présenter) en retard à l'examen.*
- ▶ ***Tais-toi*** *(se taire) une fois pour toutes !*

Tableaux de conjugaison

On peut consulter le tableau **7** du verbe *se cacher* pour avoir une vue d'ensemble de la conjugaison du verbe pronominal (pronoms personnels et formes composées).

On distingue deux types de verbes pronominaux : le verbe essentiellement (toujours) pronominal et le verbe occasionnellement (parfois) pronominal.

Le verbe essentiellement (toujours) pronominal

Définition

Le verbe **essentiellement pronominal** n'existe qu'à la forme pronominale. Le pronom personnel ***me, m', te, t,*** etc. fait corps avec le verbe et n'a pas de valeur propre. Dans les dictionnaires usuels, on trouve plus de 160 verbes essentiellement pronominaux.

Exemples : s'absenter, s'abstenir, s'acharner, s'agenouiller, se désister, s'écrouler, s'esclaffer, s'évader, se pavaner, se raviser, se rebeller, se souvenir, etc.

- *Je **me souviens.***
- *Nous **nous sommes rebellés** à la première occasion.*
- *Vous **vous étiez désistées** malgré l'importance de ce rendez-vous.*

Index des verbes

Dans la section *Index des verbes*, les verbes essentiellement (toujours) pronominaux sont facilement reconnaissables à l'aide du pictogramme PR.

Le verbe occasionnellement (parfois) pronominal

Définition

Le verbe **occasionnellement pronominal** peut s'employer à la forme pronominale ainsi qu'à la forme non pronominale.

- *As-tu **regardé** (regarder) les infos?*
- *Nous **nous sommes regardés** (se regarder) longuement.*
- *Vous **présenterez** (présenter) votre travail demain.*
- *Elles **se sont présentées** (se présenter) en retard à l'examen.*

Le verbe **occasionnellement pronominal** peut être de quatre types :

1. Le plus souvent, le verbe occasionnellement pronominal est de **sens réfléchi.** On considère alors que l'action du verbe s'exerce directement ou indirectement sur le second pronom.
   - *Nous **nous donnons** (se donner) bien du mal.*
   - *Ils **se sont présentés** (se présenter) en retard à l'examen.*
2. Certains verbes sont de **sens réciproque.** Ils sont exclusivement employés aux personnes du pluriel ***nous, vous, ils, elles*** et leur sujet (pluriel) exerce l'action l'un sur l'autre ou les uns sur les autres.
   - *Nous **nous sommes regardés** (se regarder) longuement.*
   - *Mes frères **se bagarrent** (se bagarrer) sans arrêt.*

3. Certains verbes sont de **sens passif.** Leur sujet subit l'action du verbe. On peut remplacer ce verbe pronominal par un verbe passif.

▶ *Le verre **se cassa** (se casser) sous l'impact.*

Dans cette phrase, ***se cassa*** a le sens de « fut cassé ».

4. Plusieurs verbes pronominaux ont un **sens propre et actif,** c'est-à-dire différent de leur sens lorsqu'ils sont employés en forme non pronominale. Ils sont alors équivalents à des verbes actifs ou à des verbes essentiellement pronominaux.

▶ *Elle **s'est servie** de sa voiture tous les jours* (*se servir* dans le sens d'*utiliser*).

▶ *Le terrain **s'abaisse** abruptement vers la mer* (*s'abaisser* dans le sens de *descendre*).

Index des verbes

Les verbes qui peuvent être occasionnellement (parfois) pronominaux sont identifiés à l'aide du pictogramme (PR).

Le verbe attributif (L'accord du participe passé employé avec un verbe attributif, p. **161**)

Définition

Le **verbe attributif** est un verbe qui lie un attribut (une caractéristique, une identité) à un groupe sujet (GS) ou à un groupe complément direct (CD). Dans le cas de l'attribut du sujet, le verbe *être* est le verbe attributif par excellence; il peut remplacer n'importe quel verbe attributif.

Les verbes *avoir l'air, demeurer, devenir, devoir être, paraître, pouvoir être, rester, sembler, sentir*, etc., sont des verbes attributifs.

▶ *Elle **est** une excellente rédactrice.*
sujet — attr. du sujet

▶ *Il faut que vous **restiez** calmes.*
sujet — attr. du sujet

▶ *Tu **avais l'air** très déterminé.*
sujet — attr. du sujet

▶ *J'ai **senti** nos invités contents d'être là.*
CD — attr. du CD

Le verbe de la phrase passive (L'accord du participe passé avec l'auxiliaire *être*, p. **161**)

Définition

La **phrase passive** découle de la transformation (passivation) d'une phrase à verbe actif transitif direct: le complément direct (CD) du verbe actif devient le sujet du verbe de la phrase passive alors que le sujet du verbe actif devient un complément d'agent.

Le **verbe de la phrase passive** se construit avec un verbe **transitif direct** et un sujet qui subit l'action, au lieu de faire l'action. L'auxiliaire de conjugaison *être* sert à conjuguer le verbe de la phrase passive à tous les temps en accompagnant le participe passé du verbe.

▶ *Le chat* ***a mangé*** *la souris.*
sujet CD

Le verbe ***a mangé*** (*manger*) est ici un verbe actif (transitif direct).

▶ *La souris* ***a été mangée*** *par le chat.*
sujet Complément d'agent

Le verbe ***a été mangée*** (*être mangé, ée, és, ées*) est ici un verbe de la phrase passive.

On peut également omettre le complément d'agent.

▶ *La souris* ***a été mangée.***
sujet

Tableaux de conjugaison

On peut consulter le tableau **5** pour avoir une vue d'ensemble de la conjugaison du verbe de la phrase passive.

Le verbe auxiliaire

Définition

On utilise le **verbe auxiliaire** pour conjuguer un autre verbe.

On distingue trois types de verbes auxiliaires: les auxiliaires de conjugaison (*avoir* et *être*), l'auxiliaire d'aspect et l'auxiliaire de modalité.

Les auxiliaires de conjugaison *avoir* et *être*

(L'accord du participe passé avec l'auxiliaire *avoir*, p. **163**)
(L'accord du participe passé avec l'auxiliaire *être*, p. **161**)

Définition

On emploie l'**auxiliaire de conjugaison *avoir*** avec les participes passés pour former les temps composés de la majorité des verbes actifs.

p. passé
▶ *Hier, j'****ai étudié*** *(étudier) à la bibliothèque.*
auxil. *avoir*

On emploie l'**auxiliaire de conjugaison *être*** pour conjuguer certains verbes actifs, les verbes pronominaux et les verbes de la phrase passive.

p. passé
▶ *Hier, ils* ***étaient arrivés*** *(arriver) à l'heure.*
auxil. *être*

p. passé
▶ *Vous* ***vous êtes trompés*** *(se tromper) d'adresse.*
auxil. *être*

p. passé
▶ *Tu* ***es*** *souvent* ***distraite*** *(être distrait, aite) par les rayons de soleil.*
auxil. *être*

Remarque

Les verbes intransitifs *advenir, aller, arriver, décéder, devenir, intervenir, mourir, naître, obvenir, partir, parvenir, provenir, redevenir, rester, retomber, revenir, survenir* et *venir* se conjuguent toujours aux temps composés avec l'auxiliaire *être*.

Plusieurs verbes peuvent être employés aux temps composés avec l'auxiliaire *avoir* ou avec l'auxiliaire *être*. Toutefois, le choix de l'auxiliaire peut modifier le sens de certains verbes. On choisit généralement d'employer l'auxiliaire *être* lorsque le verbe est intransitif et l'auxiliaire *avoir* lorsqu'il est transitif.

▶ *Hier, je* ***suis sortie*** (*sortir* dans le sens d'*aller dehors* – intransitif) *en pleine tempête de neige.*

▶ *Il* ***a sorti*** (*sortir* dans le sens de *mener dehors* – transitif direct) *son chien pour une promenade.*

Attention !

1. Les verbes *avoir* et *être* sont particuliers. Lorsqu'on les emploie seuls, ce sont des verbes comme les autres. Lorsqu'on les emploie comme auxiliaire de conjugaison, ils n'ont pas de signification propre.

   ▶ *Tu* ***as*** (*avoir* dans le sens de *posséder*) *deux sœurs et un frère.*

   ▶ *Nous* ***avons aimé*** *(aimer) ce spectacle.*

   ▶ *Il* ***est tombé*** *(tomber) dans l'escalier quand il* ***était*** (*être* qui introduit un attribut du sujet) *petit.*

2. Les verbes *avoir* et *être* s'emploient aux temps composés avec l'auxiliaire de conjugaison *avoir*.

   ▶ *Hier, tu* ***as été*** *(être) surprise par cette nouvelle que tu* ***as eue*** *(avoir) de tes cousins.*
   (*as* : auxil. *avoir* ; *été* : p. passé ; *as* : auxil. *avoir* ; *eue* : p. passé)

Tableaux de conjugaison

Les tableaux **4** à **7** présentent la conjugaison des verbes actifs avec les auxiliaires de conjugaison *avoir* et *être*, la conjugaison du verbe de la phrase passive et celle du verbe pronominal.

Index des verbes

Les verbes employés uniquement avec l'auxiliaire *être* sont indiqués à l'aide du pictogramme ÊTRE.

Les verbes qui peuvent être employés alternativement avec les auxiliaires *avoir* et *être* sont indiqués à l'aide du pictogramme A/E.

Le verbe auxiliaire d'aspect

Définition

Le verbe **auxiliaire d'aspect** accompagne le plus souvent un infinitif pour donner des précisions (début, fin, en cours de réalisation, passé récent, futur proche, etc.) sur l'action ou l'état exprimé par le verbe.

▶ *Je **commence à comprendre** ce problème.*

▶ *Nous **allons commencer** dans deux minutes*[1].

▶ *Vous **venez de prendre** votre repas.*

▶ *Ils **sont en train de faire** le ménage.*

Le verbe auxiliaire de modalité

Définition

Le verbe **auxiliaire de modalité** accompagne le plus souvent un infinitif pour préciser un point de vue (obligation, certitude, possibilité, etc.) sur l'action ou l'état exprimé par le verbe.

▶ *Elle **pourrait résoudre** ce problème facilement.*

▶ *Il **faut économiser** l'électricité.*

▶ *Nous **devons accepter** leurs excuses.*

Le verbe impersonnel

Définition

Le **verbe impersonnel** se construit avec le pronom ***il***. Ce pronom n'a pas d'antécédent, c'est-à-dire qu'il ne représente ni une personne, ni un animal, ni une chose. Le pronom ***il*** est alors de genre neutre et occupe la fonction de groupe sujet.

Les verbes qui décrivent les conditions atmosphériques, comme *bruin**er***, *brum**er***, *neig**er***, *pleuv**oir***, *vent**er***, etc., sont des verbes impersonnels.

▶ *Il **neigera** ce soir.*

▶ *Il **a plu** toute la nuit.*

Le verbe *fall**oir*** est un verbe impersonnel.

▶ *Il **faut** que tu finisses cet exercice.*

Plusieurs verbes, comme *arriv**er***, *sembl**er***, *dev**oir***, *suff**ire*** et *apparaî**tre***, s'emploient occasionnellement comme verbe impersonnel.

▶ *Il t'**arrive** parfois d'être somnambule.*

▶ *Il **semble** que personne ne m'écoute.*

▶ *Il **suffira** d'un peu d'effort pour réussir.*

[1] Plusieurs grammairiens et grammairiennes considèrent l'emploi de l'auxiliaire d'aspect *aller* suivi d'un infinitif comme un temps de l'indicatif nommé **futur proche**.

Tableaux de conjugaison

On peut consulter le tableau **8** et le tableau **127** ***pleuvoir* • *falloir*** pour avoir une vue d'ensemble de la conjugaison du verbe impersonnel.

Index des verbes

Les verbes toujours impersonnels sont indiqués à l'aide du pictogramme IMP.

LA CONJUGAISON DES VERBES

Définition

«Conjuguer un verbe» signifie modifier sa forme selon un mode, un temps et une personne grammaticale du singulier ou du pluriel. La conjugaison est un système qui présente des régularités et des particularités.

PERSONNES GRAMMATICALES	SINGULIER	PLURIEL
1re personne	*je*	*nous*
2e personne	*tu*	*vous*
3e personne	*il, elle (on)*	*ils, elles*

Les modes et les temps verbaux

Définition

Les **modes** sont des formes verbales pouvant exprimer l'**attitude du locuteur ou de la locutrice** vis-à-vis de l'action ou du fait exprimé par un énoncé verbal (voir aussi Le verbe auxiliaire de modalité, p. 138). Aux modes **indicatif, subjonctif** et **impératif**, le verbe varie en personne; il s'agit d'un **verbe conjugué.** Aux modes **infinitif** et **participe**, le verbe s'emploie sans sujet; il s'agit alors d'un **verbe non conjugué.**

Définition

Les **temps** sont des formes verbales pouvant **situer dans le temps** (présent, passé ou futur) une action ou un fait exprimé par un énoncé verbal. Les temps peuvent aussi préciser l'**aspect**, c'est-à-dire la manière dont l'action ou le fait exprimé par l'énoncé verbal est perçue dans sa durée, son développement ou son achèvement (voir aussi Le verbe auxiliaire d'aspect, p. 138). En plus des valeurs de temps et d'aspect, les temps peuvent exprimer une valeur de modalité, c'est-à-dire l'attitude ou le point de vue du locuteur ou de la locutrice (incertitude, irréalité). Ce sont les temps de l'indicatif qui expriment avec le plus de richesse ces valeurs de temps, d'aspect et de modalité.

Les temps simples, composés et surcomposés

Définition

Chaque mode comprend des temps subdivisés en **temps simples** auxquels correspondent des **temps composés** et, à l'occasion, un **temps surcomposé.**

Les temps simples, composés et surcomposés
(verbes actifs avec *avoir* et avec *être*)

MODES	TEMPS SIMPLES	TEMPS COMPOSÉS	TEMPS SURCOMPOSÉS
Indicatif	**Présent** *j'aide* *j'arrive*	**Passé composé** *j'**ai** aidé* *je **suis** arrivé, ée*	**Passé surcomposé** *j'**ai eu** aidé* *j'**ai été** arrivé, ée*
	Imparfait *j'aidais* *j'arrivais*	**Plus-que-parfait** *j'**avais** aidé* *j'**étais** arrivé, ée*	**Plus-que-parfait surcomposé** *j'**avais eu** aidé* *j'**avais été** arrivé, ée*
	Passé simple *j'aidai* *j'arrivai*	**Passé antérieur** *j'**eus** aidé* *je **fus** arrivé, ée*	
	Futur simple *j'aiderai* *j'arriverai*	**Futur antérieur** *j'**aurai** aidé* *je **serai** arrivé, ée*	**Futur antérieur surcomposé** *j'**aurai eu** aidé* *j'**aurai été** arrivé, ée*
	Conditionnel présent *j'aimerais* *j'arriverais*	**Conditionnel passé** *j'**aurais** aidé* *je **serais** arrivé, ée*	**Conditionnel passé surcomposé** *j'**aurais eu** aidé* *j'**aurais été** arrivé, ée*
Subjonctif	**Présent** *que j'aide* *que j'arrive*	**Passé** *que j'**aie** aidé* *que je **sois** arrivé, ée*	**Passé surcomposé** *que j'**aie eu** aidé* *que j'**aie été** arrivé, ée*
	Imparfait *que j'aidasse* *que j'arrivasse*	**Plus-que-parfait** *que j'**eusse** aidé* *que je **fusse** arrivé, ée*	
Impératif	**Présent** *aide* *arrive*	**Passé** ***aie** aidé* ***sois** arrivé, ée*	
Infinitif	**Présent** *aimer* *arriver*	**Passé** ***avoir** aidé* ***être** arrivé, ée, és, ées*	
Participe	**Présent** *aidant* *arrivant*	**Passé** *aidé, **ée, és, ées*** ***ayant** aidé* *arrivé, **ée, és, ées*** ***étant** arrivé, ée, és, ées*	

Tableaux de conjugaison

Les tableaux présentent les formes simples et les formes composées des verbes actifs. Les formes surcomposées, en raison de leur emploi plutôt rare, ne sont pas présentées dans les tableaux des verbes modèles.

Remarque

On forme les **temps composés** à partir des **temps simples** correspondants. Selon les verbes, l'auxiliaire de conjugaison *avoir* ou *être,* qui accompagne le participe passé, se conjugue toujours au temps simple correspondant.

Exemple:	**Temps simple**	**Temps composé**
	PRÉSENT DE L'INDICATIF	**PASSÉ COMPOSÉ DE L'INDICATIF**
	je mange	*j'ai mangé* (*avoir* au présent de l'indicatif)
	j'arrive	*je suis arrivé, ée* (*être* au présent de l'indicatif)

Les temps de l'indicatif

Définition

Le **mode indicatif** exprime généralement un fait certain ou considéré comme certain ou, dans certains emplois du conditionnel présent et passé, une probabilité, une condition ou un fait irréel.

Les temps simples et les temps composés de l'indicatif

PRÉSENT DE L'INDICATIF	
Emplois	***Exemples***
Un fait qui a lieu au moment où l'on parle;	▶ *Vous **vous préparez** un excellent repas.* ▶ *En ce moment, je **lis** un roman.*
Une généralité;	▶ *Il t'**arrive** parfois d'être somnambule.* ▶ *Je n'**aime** pas la fumée de cigarette.* ▶ *Nos hivers **sont** froids.*
Une habitude;	▶ *Nous **nous levons** vers 6h30 tous les matins.*
Un passé récent;	▶ *Je **rentre** à l'instant.*
Un fait du passé (présent historique);	▶ *Le 11 septembre, deux tours **s'écroulent.***
Un fait futur proche, imminent;	▶ *Je vous **rappelle** dans deux minutes.*
Un fait futur conditionnel (après ***si***);	▶ *Si tu **réussis** cet examen, tu obtiendras ton diplôme.*
Un ordre (2e pers. du sing. ou du pl.).	▶ *Vous **restez** ici en m'attendant.* ▶ *Tu **cesses** de me contredire!*

PASSÉ COMPOSÉ DE L'INDICATIF	
Emplois	***Exemples***
Un fait passé qui a encore des liens avec l'instant présent. L'usage contemporain amène à employer aussi le **passé composé** pour remplacer le **passé simple** dans les textes courants et littéraires.	▶ *Ce matin, il* ***a visité*** *son grand-père.* ▶ *Cette semaine, vous* ***êtes revenus*** *à vos bonnes habitudes.* ▶ *Il* ***a neigé*** *toute la nuit.*

IMPARFAIT DE L'INDICATIF	
Emplois	***Exemples***
Un fait passé qui s'étend dans le temps (une description, une habitude, une répétition);	▶ *Je* ***trouvais*** *ce travail exigeant, mais j'ai enfin terminé.* ▶ *Tous les soirs, vous* ***preniez*** *l'autobus à cet arrêt.* ▶ *Le temps* ***était*** *au beau fixe et le soleil* ***réchauffait*** *nos visages.*
Un fait passé qui se déroule en même temps qu'un autre fait passé (avec le passé composé ou le passé simple);	▶ *Il m'aida à trouver la clé pendant que je* ***tenais*** *les paquets.* ▶ *Ce matin, elle* ***écoutait*** *la radio tout en conduisant.*
Un fait irréel ou hypothétique (après ***si***).	▶ *Si nous* ***étions*** *à votre place, nous ferions attention.*

PLUS-QUE-PARFAIT DE L'INDICATIF	
Emplois	***Exemples***
Un fait passé qui est antérieur à un autre fait passé (avec le passé composé, l'imparfait ou le passé simple);	▶ *Vous* ***aviez*** *déjà* ***commencé*** *votre lecture lorsque la cloche a sonné.* ▶ *J'****étais sorti*** *de la pièce quand elle parla.* ▶ *Il lui disait au revoir, mais clle* ***avait raccroché.***
Un fait irréel (après ***si***).	▶ *Si j'****avais su,*** *je ne serais pas venue.* *(le fait de savoir ne s'est pas accompli)*

PASSÉ SIMPLE DE L'INDICATIF	
Emplois	***Exemples***
Un fait passé considéré comme un fait ponctuel ou accompli, sans tenir compte de sa durée. Employé plus particulièrement à l'écrit, dans les textes littéraires, le **passé simple** est plus rare à l'oral, sauf à la 3e pers. du sing. et du pl.; on lui préfère généralement le **passé composé.**	▶ *C'est avec l'arrivée du gouvernement de Jean Lesage que* ***commença*** *ce qu'on allait appeler la Révolution tranquille.* ▶ *Je me* ***tournai*** *vers elle et* ***lus*** *dans ses yeux toute la tristesse du monde. Je lui* ***pris*** *la main et nous* ***partîmes*** *aussitôt.*

PASSÉ ANTÉRIEUR DE L'INDICATIF	
Emploi	***Exemple***
Un fait passé qui est antérieur à un autre fait passé (le plus souvent avec le passé simple).	▶ *Dès qu'il **eut terminé** ses devoirs, il rangea ses cahiers dans son armoire.*

FUTUR SIMPLE DE L'INDICATIF	
Emplois	***Exemples***
Un fait futur qui aura lieu après le moment où l'on parle ;	▶ *Ce soir, nous **irons** au théâtre.* ▶ *Ils **remettront** leur travail demain.*
Un fait futur probable ou lié à une condition ;	▶ *Si tu réussis cet examen, tu **obtiendras** ton diplôme.*
Un ordre (2e pers. du sing. ou du pl.).	▶ *Vous **resterez** ici en m'attendant.* ▶ *Tu **cesseras** de me contredire !*

FUTUR ANTÉRIEUR DE L'INDICATIF	
Emplois	***Exemples***
Un fait futur qui précède un autre fait dans le futur ;	▶ *Le temps **sera écoulé** avant que nous ayons terminé notre travail.* ▶ *J'**aurai préparé** le repas avant votre retour.*
Une hypothèse dans le passé.	▶ *Vous **aurez** possiblement **attrapé** cette grippe à cause du temps froid.*

CONDITIONNEL PRÉSENT DE L'INDICATIF	
Emplois	***Exemples***
Un fait futur dans le passé ;	▶ *Je savais que tu ne nous **trahirais** pas.*
Un conseil, un fait futur incertain ou lié à une condition ;	▶ *Si tu t'habillais plus chaudement, tu n'**attraperais** pas froid.*
Une demande (2e pers. du sing. ou du pl.).	▶ ***Passerais**-tu prendre mon courrier ?*

CONDITIONNEL PASSÉ DE L'INDICATIF	
Emplois	***Exemples***
Un fait futur dans le passé qui précède un autre fait passé ;	▶ *Ils ne sont pas arrivés. Ils **auraient pu** nous appeler.*
Un fait passé probable, incertain ;	▶ *Il y **aurait eu** des problèmes avec Internet.*
Un fait qui ne s'est pas accompli (après ***si***).	▶ *Si j'avais su, je ne **serais** pas **venue.***

Les temps surcomposés de l'indicatif

Les **temps surcomposés de l'indicatif** se construisent à l'aide des auxiliaires de conjugaison *avoir* ou *être*, eux-mêmes composés, et du participe passé du verbe conjugué. Ces temps sont rarement utilisés.

Le passé surcomposé exprime un fait passé antérieur à un autre fait passé (au passé composé).

▶ *Lorsque j'**ai eu terminé** de mettre la table, ma sœur a servi les convives.*

Le plus-que-parfait surcomposé exprime également un fait passé antérieur à un autre fait passé (au passé composé ou au plus-que-parfait).

▶ *Lorsque j'**avais eu terminé** de mettre la table, ma sœur a servi les convives.*

Le futur antérieur surcomposé, d'usage très rare, exprime un fait futur qui est antérieur à un autre fait futur (au futur simple ou au futur antérieur).

▶ *Dès que j'**aurai eu terminé** de mettre la table, les convives s'y assiéront.*

Le conditionnel passé surcomposé, d'usage également très rare, exprime un fait futur qui est antérieur à un autre fait futur (au futur simple ou au futur antérieur).

▶ *Ils n'avaient jamais estimé qu'ils **auraient eu parlé** trop tôt.*

Les temps du subjonctif

Définition

Le **mode subjonctif** est le mode par excellence des phrases subordonnées complétives et circonstancielles qui expriment généralement une incertitude, une obligation, un souhait, une intention ou une déception.

MODE SUBJONCTIF	
Emplois	***Exemples***
Dans les **phrases subordonnées complétives** après l'expression, dans la phrase enchâssante, d'un souhait, d'un désir, d'un conseil, d'une défense, d'une permission, d'un sentiment, etc.;	*Accepter que, adorer que, aimer que, aimer mieux que, apprécier que, approuver que, attendre que, avoir envie que, avoir peur que, craindre que, demander que, déplorer que, désapprouver que, désirer que, détester que, empêcher que, s'étonner que, être d'accord pour que, éviter que, exiger que, faire que, faire en sorte que, ordonner que, permettre que, préférer que, proposer que, recommander que, redouter que, refuser que, regretter que, souhaiter que, supporter que, tenir à ce que, tolérer que, vouloir que, etc.* ▶ *Je souhaite que ce cadeau vous **ravisse.*** ▶ *Proposez-vous que nous **quittions** tout de suite?* **Remarque** *Espérer que* est toujours suivi du mode indicatif. ▶ *Elle espérait que **nous étions** de bonne humeur.*

Emplois (*suite*)	*Exemples (suite)*
Dans les **phrases subordonnées complétives** introduites par des **verbes impersonnels** ou des **phrases impersonnelles**;	*Il arrive que, il convient que, il est temps que, il faut que, il importe que, il se peut que, il suffit que, il vaut mieux que, peu importe que, c'est dommage que, c'est une chance que, etc.* ▶ *Il arrive que vous ne* ***soyez*** *pas à la hauteur.* ▶ *C'est possible que j'****aie oublié*** *de verrouiller la porte.*
Dans les **phrases subordonnées circonstancielles de temps** lorsque la conjonction de subordination exprime l'antériorité de l'action;	*Avant que, jusqu'à ce que, d'ici que, en attendant que, etc.* ▶ *Nous allons les démasquer avant qu'ils* ***puissent*** *trouver une excuse.*
Dans les **phrases subordonnées circonstancielles de cause** lorsque la cause est rejetée, niée;	*Non pas que, ce n'est pas que, etc.* ▶ *Le problème n'est pas que ses fautes* ***soient*** *nombreuses.*
Dans certaines **phrases subordonnées circonstancielles de conséquence**;	*Pour que, sans que, etc.* ▶ *Il est parti sans qu'il* ***dise*** *le fond de sa pensée.*
Dans les **phrases subordonnées circonstancielles de but** lorsque le verbe exprime une intention, une crainte;	*Pour que, afin que, de façon que, de manière que, de crainte que, de peur que, etc.* ▶ *Nous avons tout fait afin qu'elles* ***se sentent*** *à l'aise.*
Dans les **phrases subordonnées circonstancielles de concession ou d'opposition**;	*Quoique, bien que, encore que, moyennant que, etc.* ▶ *Bien que la chance vous* ***sourie,*** *vous ne semblez pas en profiter.*
Avec les expressions contenant ***cela... que***;	*Cela m'amuse que, cela me choque que, cela m'étonne que, etc.* ▶ *Cela me choque que tu* ***agisses*** *ainsi.*
Pour exprimer un ordre dans une phrase indépendante (complète le mode impératif pour la 1re pers. du sing. et la 3e pers. du sing. et du pl.).	▶ *Que je* ***finisse*** *dans les temps!* ▶ *Qu'il* ***dise*** *toute la vérité.* ▶ *Qu'ils* ***gravissent*** *ces escaliers sans rouspéter!*

PRÉSENT DU SUBJONCTIF

Emploi	*Exemples*
Un fait souhaité, éventuel, c'est-à-dire un fait considéré dans la pensée.	▶ *Vous auriez préféré qu'elle* ***réagisse*** *mieux.* ▶ *Je souhaite que ce cadeau vous* ***ravisse.*** ▶ *Êtes-vous sûr qu'il* ***puisse*** *y arriver?*

PASSÉ DU SUBJONCTIF

Emploi	*Exemples*
Un fait achevé, mais qui précède un autre fait dans le temps.	▶ *Avant qu'elle* ***ait trouvé*** *la solution, sa collaboratrice avait quitté la salle.* ▶ *Je souhaite que vous* ***ayez trouvé*** *cette pièce divertissante.*

Remarque

L'**imparfait** et le **plus-que-parfait** du subjonctif ne sont plus utilisés dans la langue courante, mais ils sont encore présents dans la langue écrite soutenue ou littéraire, et font traditionnellement partie des tableaux de conjugaison. Leur emploi peut donner un point de repère pour situer ces textes dans le temps (en particulier dans la littérature du 19e siècle).

Le passé surcomposé du subjonctif

Le passé surcomposé du subjonctif, rarement utilisé, exprime un fait passé qui précède dans le temps un autre fait passé.

▶ *Je souhaite qu'il **ait eu parlé** à son enseignant avant qu'il prenne une décision.*

Les temps de l'impératif

Définition

Le **mode impératif** exprime généralement un souhait, un ordre, un conseil, une permission ou une interdiction. Ce mode ne se conjugue qu'à la 2e personne du singulier et à la 1re et 2e personne du pluriel, et il s'emploie sans sujet.

PRÉSENT DE L'IMPÉRATIF	
Emploi	***Exemples***
Un fait souhaité et non achevé dans le futur.	▶ *Ne **perds** pas ton temps.* ▶ ***Essayons** ensemble de régler ce problème.* ▶ ***Cessez** de me contredire.* ▶ ***Essayez**-le.* ▶ ***Souviens-toi** de cette journée.*

PASSÉ DE L'IMPÉRATIF	
Emploi	***Exemples***
Un fait souhaité et achevé dans le futur (rarement utilisé dans la langue courante).	▶ ***Ayez terminé** ce travail à mon retour.* ▶ ***Ayons fini** ensemble de régler ce problème.*

Attention !

Lorsque la 2e personne du singulier de l'impératif est suivie du pronom ***en*** ou *y*, on ajoute au besoin un ***s*** à la fin du verbe pour ajuster la prononciation.

▷ ***Donne** une part de ce gâteau à ton frère.*

▷ ***Donnes-en** une part à ton frère.*

▷ ***Sers** une part de ce gâteau à ton frère.*

▷ ***Sers-en** une part à ton frère.*

Ici, comme le verbe se termine par un *s*, il est superflu d'en ajouter un autre.

Le mode infinitif

Définition

Le **mode infinitif** ne se conjugue pas. On dit de l'infinitif qu'il est la forme nominale du verbe; le présent de l'infinitif est d'ailleurs utilisé pour nommer les verbes. Le mode infinitif peut occuper différentes fonctions dans la phrase. Son groupe fonctionnel est le groupe verbal infinitif.

GROUPE VERBAL INFINITIF	
Emplois	***Exemples***
Noyau du **groupe sujet (GS)**;	▶ ***Lire*** *est une activité qui me passionne.* ▶ *Pour cette espèce animale,* ***se nourrir*** *demeure le plus grand défi.*
Noyau du **groupe complément direct (CD)**;	▶ *Voulez-vous* ***me remettre cette enveloppe****?* ▶ *Il faut* ***prendre le taureau par les cornes.***
Noyau du **groupe complément indirect (CI)**;	▶ *Il a recommencé* ***à crier à tue-tête.*** ▶ *J'ai peur* ***de vous décevoir.***
Noyau du **groupe attribut du sujet**;	▶ *Le brouillard semblait* ***se disperser.***
Noyau du **groupe complément de phrase (GCP).**	▶ *Elle médite* ***pour apaiser son stress.***

Remarque

Le radical du présent de l'infinitif (ou radical de base) sert à conjuguer la plupart des verbes réguliers.

Le mode participe

Définition

Le **mode participe** ne se conjugue pas. Le participe peut jouer le rôle du verbe ou de l'adjectif. On dit d'ailleurs que le participe est la forme adjectivale du verbe. Employé comme verbe, le participe présent est toujours invariable.

▶ ***Agacée*** *par la brise, elle se coiffa d'un ridicule bonnet.*

▶ ***Scrutant*** *l'horizon, Pénélope attendait le retour d'Ulysse.*

▶ *Ces livres sont* ***intéressants.***

On emploie le participe passé pour conjuguer, à l'aide des auxiliaires *avoir* et *être*, les verbes aux temps composés.

▶ *Il* ***a recommencé*** *à crier à tue-tête.*

▶ *Si j'****avais su****, je ne* ***serais*** *pas* ***venue.***

Remarque

Lorsque le participe présent est précédé de la préposition ***en***, on le nomme « gérondif ».

▶ *Nous avons travaillé* ***en discutant*** *de choses et d'autres.*

La concordance des temps

Généralement, on considère que la concordance des temps concerne le choix du mode et du temps des phrases subordonnées en lien avec le choix du mode et des temps de la phrase qui les enchâsse. Dans son sens élargi, et afin que ce concept soit transférable à l'écrit et à l'oral, on présente ci-dessous deux schémas qui résument la concordance des temps de l'indicatif[1] selon que le récit, le dialogue ou l'exposé descriptif, explicatif ou argumentatif, a un temps dominant au présent ou un temps dominant au passé.

Faits situés au moment de l'énonciation

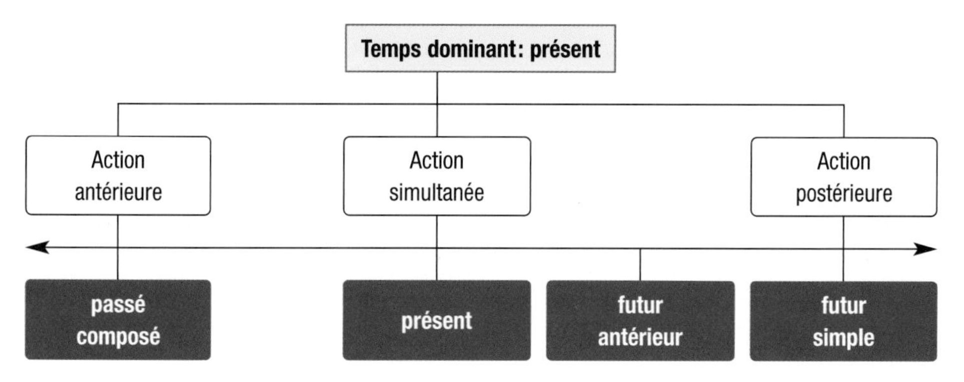

Faits situés avant le moment de l'énonciation

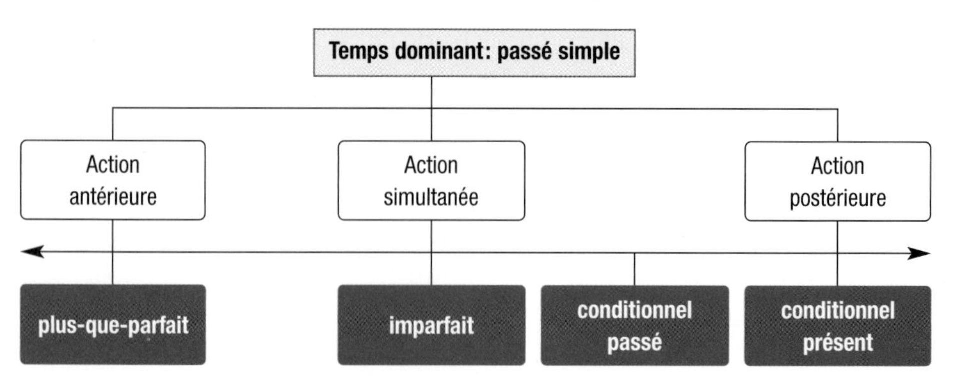

[1] La concordance des temps dans les phrases introduisant le mode subjonctif est traitée aux pages 144 à 145.

Le radical et la terminaison

Le verbe se compose de deux éléments : le **radical** et la **terminaison.** Dans les exemples ci-dessous, les radicaux sont en noir et les terminaisons de l'infinitif et du présent de l'indicatif sont de couleur.

Verbes réguliers

	PRÉSENT DE L'INDICATIF	
	aimer	*finir*
je	aime	finis
tu	aimes	finis
il, elle	aime	finit
nous	aimons	finissons
vous	aimez	finissez
ils, elles	aiment	finissent

Verbes irréguliers

	PRÉSENT DE L'INDICATIF		
	dormir	*prendre*	*devoir*
je	dors	prends	dois
tu	dors	prends	dois
il, elle	dort	prend	doit
nous	dormons	prenons	devons
vous	dormez	prenez	devez
ils, elles	dorment	prennent	doivent

Définition

Le **radical** est la partie du verbe qui varie le moins et qui communique une signification unique. Le **radical de base** est le radical du verbe à l'infinitif.

Exemples : aim-, fin-, dorm-, prend-, dev-, etc.

Les **verbes réguliers** gardent généralement le **radical de base** dans toute leur conjugaison. Le verbe *aimer* garde toujours son radical de base *aim-*. Le verbe *finir* garde toujours son radical de base *fin-*.

Les **verbes irréguliers** possèdent généralement d'autres **radicaux** en plus du **radical de base.**

Exemples : dor-, pren- et prenn-, doi- et doiv-, etc.

Définition

La **terminaison** est la seconde partie du verbe. C'est généralement cette partie que l'on modifie selon le mode, le temps et la personne grammaticale.

Exemples de terminaisons au présent de l'indicatif : -e, -es, -e, -ons, -ez, -ent, pour le verbe aimer.

Tableaux de conjugaison

Les terminaisons des verbes modèles sont de couleur.

Les terminaisons des verbes réguliers et irréguliers à tous les temps simples

Mode	Temps	Verbes	Singulier			Pluriel		
			1re pers.	2e pers.	3e pers.	1re pers.	2e pers.	3e pers.
			je	**tu**	**il, elle**	**nous**	**vous**	**ils, elles**
MODE INDICATIF	Présent	▷ **verbes en** *-er* (aimer…)	e	es	e	ons	ez	ent
		▷ **verbes en** *-ir/-issant*[1] (finir…)	is	is	it	issons	issez	issent
		▶ **verbes irréguliers**	s	s	t	ons	ez	ent
		sauf						
		▶ aller	s	s	a	ons	ez	ont
		▶ -cueillir, offrir, souffrir, -ouvrir, -aillir (assaillir…)	e	es	e	ons	ez	ent
		▶ dire et redire	s	s	t	ons	tes	ent
		▶ -faire	s	s	t	ons	tes	ont
		▶ vaincre et convaincre	s	s	c	ons	ez	ent
		▶ -coudre, moudre, -ondre (tondre…), -ordre (mordre…), -endre (vendre…), -prendre, et -asseoir *(j'assieds)*	s	s	d	ons	ez	ent
		▶ pouvoir, -vouloir et -valoir	x	x	t	ons	ez	ent
	Imparfait	▷ **verbes en** *-er* (aimer…)	ais	ais	ait	ions	iez	aient
		▷ **verbes en** *-ir/-issant* (finir…)	issais	issais	issait	issions	issiez	issaient
		▶ **verbes irréguliers**	ais	ais	ait	ions	iez	aient
	Passé simple	▷ **verbes en** *-er* (aimer…)	ai	as	a	âmes	âtes	èrent
		▷ **verbes en** *-ir/-issant* (finir…)	is	is	it	îmes	îtes	irent
		▶ **verbes irréguliers**						
		▶ aller	ai	as	a	âmes	âtes	èrent
		▶ **liste 1**[2]	is	is	it	îmes	îtes	irent
		▶ **liste 2**[3]	us	us	ut	ûmes	ûtes	urent
		▶ -tenir et -venir	ins	ins	int	înmes	întes	inrent
	Futur simple	▷ **verbes en** *-er* (aimer…)	erai	eras	era	erons	erez	eront
		sauf ▶ envoyer et renvoyer	rai	ras	ra	rons	rez	ront
		▷ **verbes en** *-ir/-issant* (finir…)	irai	iras	ira	irons	irez	iront
		▶ **verbes irréguliers**	rai	ras	ra	rons	rez	ront
		sauf ▶ -cueillir	erai	era	era	erons	erez	eront
	Conditionnel présent	▷ **verbes en** *-er* (aimer…)	erais	erais	erait	erions	eriez	eraient
		sauf ▶ envoyer et renvoyer	rais	rais	rait	rions	riez	raient
		▷ **verbes en** *-ir/-issant* (finir…)	irais	irais	irait	irions	iriez	iraient
		▶ **verbes irréguliers**	rais	rais	rait	rions	riez	raient
		sauf ▶ -cueillir	erais	erais	erait	erions	eriez	eraient

[1] Le verbe irrégulier *maudire* se conjugue aux temps simples de tous les modes comme *finir*, à l'exception de son participe passé *maudit, maudite.*

[2] **liste 1**: bouillir, -dormir, -entir (sentir…), -servir, -partir, -sortir, -fuir, -quérir (acquérir…), -vêtir, -cueillir, offrir, souffrir, -ouvrir, -aillir (assaillir…), -crire (écrire…), -dire (dire, prédire…), suffire, confire, circoncire, -rire, -faire, -uire (produire…), -rompre, vaincre et convaincre, -suivre, -coudre, -ondre (tondre…), -ordre (mordre…), -endre (vendre…), -prendre, -indre (peindre…, craindre… et joindre…), -naître, -battre, -mettre, -asseoir, surseoir, -voir (voir…, et prévoir…).

[3] **liste 2**: -courir, mourir, -lire, -plaire, taire, boire, croire, -clure (conclure…), -vivre, moudre, -soudre, -aître (connaître…), -croître, pouvoir, -vouloir, -valoir, savoir, -cevoir (recevoir…), devoir, -mouvoir, pourvoir, falloir, -pleuvoir, -choir.

			Singulier			Pluriel		
			1re pers.	2e pers.	3e pers.	1re pers.	2e pers.	3e pers.
			je	**tu**	**il, elle**	**nous**	**vous**	**ils, elles**
MODE SUBJONCTIF	Présent	▷ **verbes en** -*er* (aimer…)	e	es	e	ions	iez	ent
		▷ **verbes en** -*ir*/-*issant* (finir…)	isse	isses	isse	issions	issiez	issent
		▶ **verbes irréguliers**	e	es	e	ions	iez	ent
	Imparfait	▷ **verbes en** -*er* (aimer…)	asse	asses	ât	assions	assiez	assent
		▷ **verbes en** -*ir*/-*issant* (finir…)	isse	isses	ît	issions	issiez	issent
		▶ **verbes irréguliers**						
		▶ aller	asse	asses	ât	assions	assiez	assent
		▶ voir **liste 1** du passé simple de l'indicatif	isse	isses	ît	issions	issiez	issent
		▶ voir **liste 2** du passé simple de l'indicatif	usse	usses	ût	ussions	ussiez	ussent
		▶ -tenir et -venir	insse	insses	înt	inssions	inssiez	inssent
MODE IMPÉRATIF	Présent	▷ **verbes en** -*er* (aimer…)	–	e	–	ons	ez	–
		▷ **verbes en** -*ir*/-*issant* (finir…)	–	is	–	issons	issez	–
		▶ **verbes irréguliers**	–	s	–	ons	ez	–
		sauf						
		▶ aller	–	a	–	ons	ez	–
		▶ -cueillir, offrir, souffrir, -ouvrir, -aillir (assaillir…), savoir, -vouloir (2 formes)	–	e	–	ons	ez	–
		▶ dire, redire, -faire	–	s	–	ons	tes	–
		▶ -vouloir et -valoir	–	x	–	ons	ez	–

PRÉSENT DE L'INFINITIF	Terminaison	PARTICIPE PRÉSENT	Terminaison
▶ **verbes en** -*er* (aimer…)	er	▶ **verbes en** -*er* (aimer…)	ant
▷ **verbes en** -*ir*/-*issant* (finir…)	ir	▷ **verbes en** -*ir*/-*issant* (finir…)	issant
▶ **verbes irréguliers**	er, ir, re, oir	▶ **verbes irréguliers**	ant

PARTICIPE PASSÉ	Singulier		Pluriel	
	Masculin	Féminin	Masculin	Féminin
▶ **verbes en** -*er* (aimer…)	é	ée	és	ées
▷ **verbes en** -*ir*/-*issant* (finir…)	i	ie	is	ies
▶ **verbes irréguliers**				
▶ aller, naître	é	ée	és	ées
▶ bouillir, -dormir, -entir (sentir…), -servir, -partir, -sortir, -fuir, -cueillir, -aillir (assaillir…), suffire (*inv.*), -rire (*inv.*), -suivre.	i	ie	is	ies
▶ -courir, -vêtir, -venir, -tenir, -lire, -plaire (*inv.*), taire, boire, croire, -rompre, conclure, exclure, vaincre, -vivre, -coudre, moudre, résoudre, -ondre (tondre…), -ordre (mordre…), -endre (vendre…), -aître (connaître…), -oître (accroître…), -battre, -foutre, pouvoir (*inv.*), -vouloir, -valoir, savoir, -voir, -cevoir (recevoir…), promouvoir, émouvoir, pourvoir, falloir, -pleuvoir, -choir.	u	ue	us	ues
▶ croître (*inv.*), recroître (*inv.*), devoir, mouvoir	û	ue	us	ues
▶ inclure, occlure	us	use	us	uses
▶ absoudre, dissoudre	ous	oute	ous	outes
▶ clore	os	ose	os	oses
▶ -quérir (acquérir…), confire, circoncire, -prendre, -mettre, -asseoir, surseoir	is	ise	is	ises
▶ -crire (écrire…), -dire, frire	it	ite	its	ites
▶ -uire (produire…)	uit	uite	uits	uites
▶ mourir	ort	orte	orts	ortes
▶ offrir, souffrir, -ouvrir	ert	erte	erts	ertes
▶ -faire, -raire (soustraire…)	ait	aite	aits	aites
▶ -eindre (peindre…)	eint	einte	eints	eintes
▶ -aindre (craindre…)	aint	ainte	aints	aintes
▶ -oindre (joindre…)	oint	ointe	oints	ointes

Les conjugaisons régulières et irrégulières

On distingue les **conjugaisons régulières** des **conjugaisons irrégulières**[1] selon les variations de leurs radicaux et de leurs terminaisons. Les **verbes réguliers** et les **verbes irréguliers** appartiennent respectivement à chacune de ces conjugaisons.

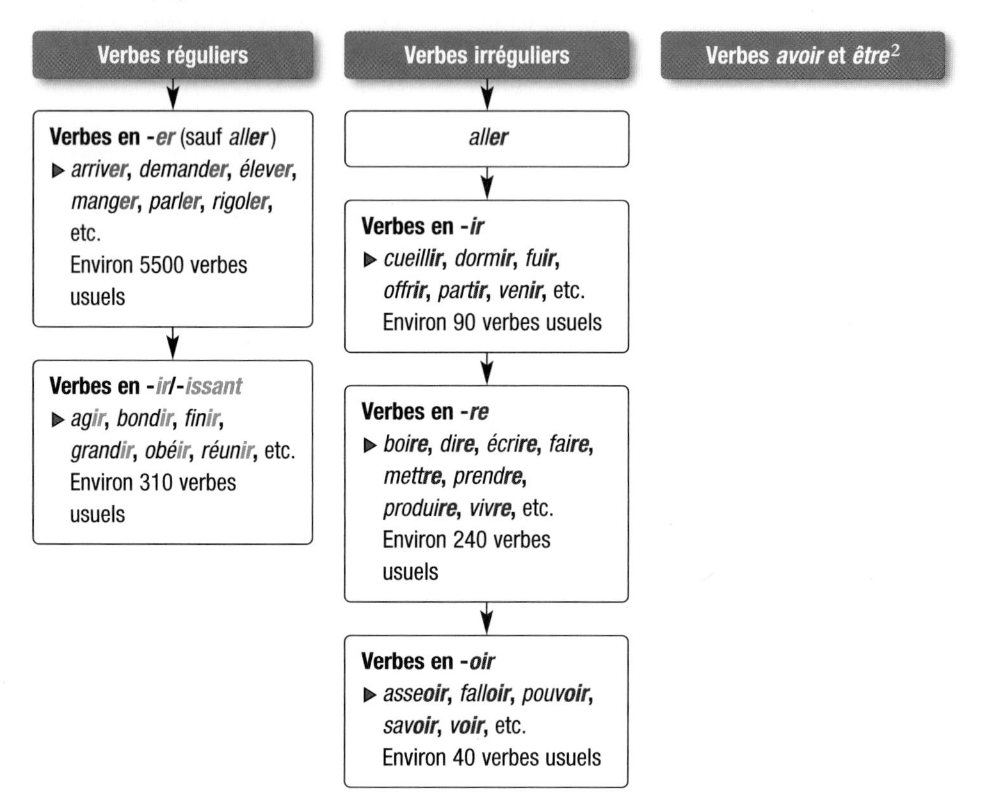

[1] Traditionnellement, on classe les **conjugaisons régulières** en deux groupes de verbes, soit : le 1er groupe constitué des verbes en *-er* (sauf *aller*) et le 2e groupe constitué des verbes en *-ir* faisant *-issant* au participe présent. On classe les **conjugaisons irrégulières** dans le 3e groupe. D'autres grammairiens et grammairiennes classent pour leur part les verbes dans deux types de conjugaisons : la 1re conjugaison ne comprend que les verbes en *-er* (sauf *aller*), tandis que la 2e conjugaison comprend tous les autres verbes.
Dans cet ouvrage, et en conformité avec la terminologie des programmes d'études du ministère de l'Éducation du Québec, on classe les verbes selon qu'ils sont réguliers ou irréguliers. Ce classement est avant tout « fonctionnel ». Il a l'avantage de mettre l'accent sur le fait qu'on peut assez aisément conjuguer les verbes réguliers en se basant sur une connaissance des terminaisons verbales des verbes en *-er* et en *-ir/-issant*. Cette seule connaissance des terminaisons verbales est toutefois insuffisante pour conjuguer les verbes irréguliers, dont la principale caractéristique est la variation des radicaux dans une même conjugaison.

[2] Généralement, les verbes *avoir* et *être* sont considérés comme des verbes n'appartenant pas aux verbes irréguliers.

Tableaux de conjugaison

Les verbes sont regroupés comme ceci :

Les tableaux **2** et **3** présentent les verbes *avoir* et *être* ;

Les tableaux **12** à **39**, aux en-têtes **bleus**, présentent les verbes réguliers en *-er;*

Les tableaux **43** à **48**, aux en-têtes **verts**, présentent les verbes réguliers en *-ir/-issant;*

Les tableaux **40** et **41** (verbe *aller*), et **51** à **129**, aux en-têtes **rouges**, présentent les verbes irréguliers en ***-ir***, en ***-re*** et en ***-oir***.

Index des verbes

Les verbes réguliers sont en noir, tandis que les verbes irréguliers sont en **rouge**.

Les verbes réguliers

Pour conjuguer la majorité des **verbes réguliers**, on isole le radical de base et on ajoute les terminaisons correspondant aux modes, aux temps et aux personnes grammaticales du singulier et du pluriel.

Les verbes en *-er*:

On peut conjuguer la majorité des verbes en *-er* comme le verbe *aimer* (voir le tableau 12).

Exemples :

		PRÉSENT DE L'INDICATIF			
Infinitif		**Radical de base**	**Terminaisons**	**Conjugaison**	
aimer	j'	aim-	-e	j'	aime
	tu	aim-	-es	tu	aimes
	il, elle	aim-	-e	il, elle	aime
	nous	aim-	-ons	nous	aimons
	vous	aim	-ez	vous	aimez
	ils, elles	aim-	-ent	ils, elles	aiment

Remarque

La plupart des nouveaux verbes que l'on intègre dans la langue française (néologismes) se construisent et se conjuguent comme les verbes en *-er*.

Exemples : télécharger, télécopier, etc.

Attention !

Même si la très grande majorité des verbes en *-er* ne changent pas de radical, certains verbes en *-er* sont dits **particuliers.** Ces verbes présentent des particularités orthographiques qui entraînent de légères modifications à leur radical de base. Le *Tableau des particularités des verbes* en *-er,* aux pages **9** à **11**, dresse la liste de ces particularités et d'autres difficultés en se référant à chaque verbe modèle.

Les verbes en *-ir/-issant:*

On peut conjuguer presque tous les verbes en *-ir/-issant* comme le verbe *finir* (voir le tableau **43**), à l'exception des verbes *haïr, s'entre-haïr* et *fleurir* (dans le sens de « prospérer »).

Exemples:

PRÉSENT DE L'INDICATIF					
Infinitif		**Radical de base**	**Terminaisons**	**Conjugaison**	
finir	je	fin-	-is	je	finis
	tu	fin-	-is	tu	finis
	il, elle	fin-	-it	il, elle	finit
	nous	fin-	-issons	nous	finissons
	vous	fin-	-issez	vous	finissez
	ils, elles	fin-	-issent	ils, elles	finissent

Attention !

Tous les verbes en *-ir* ne se conjuguent pas comme le verbe *finir*. Environ 70 verbes en *-ir,* dont *acquérir, courir, faillir, partir* et *sortir,* sont des **verbes irréguliers.** Leur participe présent se termine en ***-ant*** et non en ***-issant.*** Il en va de même pour les verbes comme *dire, écrire, lire, suffire,* etc.

Tableaux de conjugaison

Le *Tableau des particularités des verbes* en *-ir/-issant,* à la page **42**, dresse la liste des particularités des verbes *s'entre-haïr, fleurir* et *haïr* (dans le sens de « prospérer ») et d'autres difficultés en se référant à chaque tableau de conjugaison.

Les verbes irréguliers

On ne peut pas conjuguer les **verbes irréguliers** simplement en isolant leur radical de base, car la plupart de ces verbes ont plusieurs radicaux. De plus, les terminaisons de certains verbes irréguliers peuvent varier.

Le verbe all*er*

Le verbe *aller* est le seul verbe irrégulier se terminant par *-er*. On ne peut le conjuguer selon le modèle du verbe *aimer*. Comme d'autres verbes irréguliers, son radical change plusieurs fois dans sa conjugaison (voir les tableaux **40** et **41**).

Les verbes en *-ir:*

Exemples:

	PRÉSENT DE L'INDICATIF				
Infinitif		**Radicaux**	**Terminaisons**	**Conjugaison**	
sort**ir**	je	sor-	**-s**	je	sor**s**
	tu	sor-	**-s**	tu	sor**s**
	il, elle	sor-	**-t**	il, elle	sor**t**
	nous	sort-	**-ons**	nous	sort**ons**
	vous	sort-	**-ez**	vous	sort**ez**
	ils, elles	sort-	**-ent**	ils, elles	sort**ent**

Remarque

On peut conjuguer les verbes irréguliers comme *cour**ir*** et *cueill**ir*** en utilisant leur radical de base: *cour-*, *cueill-*. Par contre, il faut consulter les *Tableaux de conjugaison* pour vérifier les variations de leurs terminaisons.

Tableaux de conjugaison

Le *Tableau des irrégularités des verbes en* ***-ir,*** aux pages **49** et **50,** dresse la liste des verbes modèles en ***-ir*** et de leurs caractéristiques.

Les verbes en *-re:*

Les verbes en ***-re*** regroupent des verbes se terminant par:

-ire comme *écri**re**, li**re**,* etc.
-aître comme *connaît**re**, naît**re**,* etc.
-oître comme *accroît**re**, croît**re**,* etc.
-oire comme *boi**re**,* etc.
-vre comme *suiv**re**, viv**re**,* etc.
-indre comme *craind**re**, peind**re**,* etc.
-oudre comme *résoud**re**,* etc.
-dre comme *répond**re**, vend**re**,* etc.
-tre comme *mett**re**, batt**re**,* etc.
-cre et *-pre* comme *romp**re**, vainc**re**,* etc.

Exemples:

PRÉSENT DE L'INDICATIF					
Infinitif		**Radicaux**	**Terminaisons**	**Conjugaison**	
écri**re**	j'	écri-	**-s**	j'	écri**s**
	tu	écri-	**-s**	tu	écri**s**
	il, elle	écri-	**-t**	il, elle	écri**t**
	nous	écriv-	**-ons**	nous	écriv**ons**
	vous	écriv-	**-ez**	vous	écriv**ez**
	ils, elles	écriv-	**-ent**	ils, elles	écriv**ent**
connaît**re**	je	connai-	**-s**	je	connai**s**
	tu	connai-	**-s**	tu	connai**s**
	il, elle	connaî-	**-t**	il, elle	connaî**t**
	nous	connaiss-	**-ons**	nous	connaiss**ons**
	vous	connaiss-	**-ez**	vous	connaiss**ez**
	ils, elles	connaiss-	**-ent**	ils, elles	connaiss**ent**

Tableaux de conjugaison

Le *Tableau des irrégularités des verbes en **-re**,* aux pages **69** à **72**, dresse la liste des verbes modèles en ***-re*** et de leurs caractéristiques.

Les verbes en *-oir:*

Exemples:

PRÉSENT DE L'INDICATIF					
Infinitif		**Radicaux**	**Terminaisons**	**Conjugaison**	
recev**oir**	je	reçoi-	**-s**	je	reçoi**s**
	tu	reçoi-	**-s**	tu	reçoi**s**
	il, elle	reçoi-	**-t**	il, elle	reçoi**t**
	nous	recev-	**-ons**	nous	recev**ons**
	vous	recev-	**-ez**	vous	recev**ez**
	ils, elles	reçoiv-	**-ent**	ils, elles	reçoiv**ent**

Tableaux de conjugaison

Le *Tableau des irrégularités des verbes en **-oir**,* aux pages **111** et **112**, dresse la liste des verbes modèles en ***-oir*** et de leurs caractéristiques.

LES ACCORDS

Les accords du verbe avec le groupe sujet

L'accord du verbe : règle générale

Le verbe est un mot variable qui reçoit la personne, le nombre et parfois le genre du noyau du groupe sujet (nom ou pronom).

- *Les éléphants et les hyènes* ***profitent*** *en grands groupes de la fin de journée pour se désaltérer à la rivière.*
- *Plusieurs* ***montent*** *la garde pendant que les autres* ***se présentent*** *tour à tour sur les berges.*
- *Les fauves, qui* ***sont embusqués*** *dans les hautes herbes,* ***attendent*** *le bon moment pour attaquer.*

antécédent

L'accord du verbe : cas particuliers

assez de, beaucoup de, nombre de, etc. + *nom*

Lorsque le *nom* est **dénombrable,** on met le verbe au pluriel.

- *Beaucoup de personnes* ***espèrent*** *prendre des vacances cet été.*

Lorsque le *nom* est **non dénombrable,** on met le verbe au singulier.

- *Beaucoup de temps* ***s'est écoulé*** *depuis son départ.*

peu de + *nom*

On met le verbe au pluriel.

- *Peu de personnes* ***ont payé*** *leur entrée à ce spectacle.*

le peu de + *nom*

On met le verbe au singulier ou au pluriel selon le sens.

- *Le peu de personnes que j'****ai vu*** *me décourage.*
- *Le peu de personnes que j'****ai vues*** *suffisent à montrer que je suis appréciée.*

la plupart, la plupart de + *nom*

On met le verbe au pluriel.

- *La plupart* ***ont payé*** *leur entrée à ce spectacle.*
- *La plupart des personnes qui* ***ont payé*** *leur entrée* ***sont*** *offusquées.*

moins de deux (+ *nom*)

On met le verbe au pluriel.

▶ *Moins de deux* ***ont payé*** *leur entrée à ce spectacle.*

▶ *Moins de deux joueurs* ***peuvent*** *y* ***participer****.*

plus d'un, plus d'une (+ *nom*)

On met le verbe au singulier.

▶ *Plus d'un* ***a gagné*** *au tirage.*

▶ *Plus d'un athlète* ***a été trouvé*** *coupable de dopage.*

nom collectif + de + *nom*

On met le verbe au singulier ou au pluriel selon le sens.

▶ *La foule de manifestants* ***a perturbé*** *la circulation.*

▶ *Un ensemble de caractéristiques* ***décrivent*** *les types de verbes.*

pourcentage, nombre + de + *nom*

On met le verbe au pluriel.

▶ *Dix pour cent des gens sondés* ***se sont dits*** *mécontents.*

▶ *Quatre-vingts répondants* ***sont*** *indécis.*

fraction + de + *nom*

Lorsque le *nom* est **dénombrable**, on met le verbe au pluriel.

▶ *La moitié des élèves* ***ont réussi*** *l'examen.*

Lorsque le *nom* est **non dénombrable**, on met le verbe au singulier.

▶ *Le tiers de l'assistance* ***a quitté*** *la salle avant la fin.*

chacun, chacune, aucun, personne, rien, tout, chaque + *nom*

On met le verbe au singulier.

▶ *Chaque joueur* ***doit suivre*** *les règlements.*

▶ *Personne n'****a trouvé*** *la réponse.*

tout le monde, on

On met le verbe au singulier.

▶ *Tout le monde le* ***sait****.*

▶ *On* ***conjugue*** *au singulier.*

l'un ou l'autre

On met le verbe au singulier.

▶ *L'un ou l'autre* ***sera*** *un bon choix.*

l'un et l'autre, ni l'un ni l'autre

On met le verbe au singulier ou au pluriel.

▶ *Ni l'un ni l'autre ne* ***fait*** *l'affaire.*

▶ *Ni l'un ni l'autre ne* ***font*** *l'affaire.*

noms ou ***pronoms de la même personne*** liés par **et**

On met le verbe au pluriel.

▶ *La vache et ses veaux* ***broutent*** *dans le pré.*

▶ *Elle et lui* ***se marieront*** *l'été prochain.*

pronoms de différentes personnes reliés par **et**

On met le verbe au pluriel à la 1re personne qui a priorité; la 1re personne a priorité sur la 2e personne, qui a priorité sur la 3e personne.

▶ *Toi et moi* ***savons*** *à quoi nous en tenir.*

▶ *Elles et toi en* ***connaissez*** *les raisons.*

Remarque

On place la personne qui a priorité à la fin de l'énumération:
Toi et moi…, Mes amis, toi et moi… Mes amis et toi… Elle et toi…

noms liés par **ni** ou **ou**

On met le verbe au singulier ou au pluriel selon le sens (avec addition ou non).

▶ *Ni son manque de connaissances ni son inexpérience n'****a été retenu*** *contre sa candidature.*

▶ *Ni son manque de connaissances ni son inexpérience ne l'****ont empêchée*** *de travailler dans ce domaine.*

noms liés par **ainsi que, comme, de même que**

On met le verbe au singulier ou au pluriel selon le sens (avec addition ou avec emploi entre virgules).

▶ *L'orthographe grammaticale comme la conjugaison* ***doivent être maîtrisées.***

▶ *L'orthographe grammaticale, de même que la conjugaison,* ***doit être maîtrisée.***

noms synonymes placés en gradation

On met le verbe au singulier; le verbe reçoit la personne, le genre et le nombre du dernier mot énoncé.

▶ *Attention, amitié, amour* ***a*** *soulagé sa peine.*

peu importe, soit

On met le verbe au singulier ou au pluriel.

▶ *Peu* ***importe*** *tes erreurs.* *Peu* ***importent*** *tes erreurs...*

▶ ***Soit*** *trois lignes bissectrices.* ***Soient*** *trois lignes bissectrices...*

qui? – *pronom interrogatif*

On met le verbe au singulier.

▶ *Qui* ***pourrait distribuer*** *ces documents?*

c'est moi qui / c'est toi qui

On met le verbe à la personne de l'antécédent.

▶ *C'est moi qui* ***ai découvert*** *la solution en premier.*

le premier / la première qui / le seul, la seule qui / celui, celle qui

On conjugue à la personne de l'antécédent ou à la 3e personne.

▶ *Je suis le seul qui* ***ai découvert.*** *Je suis le seul qui* ***a découvert.***

▶ *Vous êtes celles qui* ***avez découvert.*** *Vous êtes celles qui* ***ont découvert.***

phrase subordonnée ou *groupe verbal infinitif*

On conjugue au singulier.

▶ *Que nous soyons en désaccord ne vous* ***dérange*** *pas.*

▶ *Conduire une voiture sans permis* ***est*** *une offense au Code de la sécurité routière.*

L'accord des participes passés

L'accord du participe passé employé seul (sans auxiliaire)

Le participe passé **employé seul** reçoit le genre et le nombre du mot ou du groupe de mots auxquels il se rapporte. Il s'accorde donc comme un adjectif.

▶ *Bien* ***assise*** *sur sa chaise, ma mère encaissa la nouvelle.*

▶ ***Piqués*** *par son attaque calomnieuse, ils l'****ont poursuivi*** *en diffamation.*

L'accord du participe passé employé seul : cas particuliers

attendu / y compris, non compris, entendu, excepté, supposé, vu

Lorsque placés devant le nom, ces participes passés sont considérés comme des prépositions et sont invariables.

▶ ***Excepté*** *ces trois élèves, toute la classe a réussi l'examen.*

▶ *Ces trois élèves* ***exceptés,*** *toute la classe a réussi l'examen.*

étant donné, même, mis à part, passé

Lorsque placés devant le nom, ces participes passés peuvent s'accorder ou non.

▶ ***Étant donné*** *les difficultés éprouvées, c'est une belle réussite.*

▶ ***Étant données*** *les difficultés éprouvées, c'est une belle réussite.*

ci-annexé / ci-joint / ci-inclus

1. Lorsqu'ils sont placés à gauche du nom, ces participes passés sont généralement considérés comme des adverbes et sont invariables. Pour vérifier l'emploi adverbial, on peut remplacer le participe passé par *ci-dessus* ou *ci-dessous*.

   ▶ ***Ci-joint,*** *vous trouverez les documents demandés.*

2. Lorsqu'ils sont placés après le nom, ces participes passés ont une valeur adjectivale et reçoivent le genre et le nombre du nom qu'ils accompagnent.

   ▶ *Veuillez lire les fiches* ***ci-incluses.*** ▶ *Veuillez lire les fiches* ***ci-jointes.***

L'accord du participe passé avec l'auxiliaire *être*

Le participe passé reçoit le genre et le nombre du groupe sujet.

▶ Elle **est restée** debout toute la nuit. (verbe actif *rester*)

▶ Les enfants et leur éducatrice **sont partis** jouer au parc. (verbe actif *partir*)

▶ La souris **a été mangée** par le chat. (verbe de la phrase passive ***être mangé, ée, és, ées***)

L'accord du participe passé employé avec un verbe attributif

Le participe passé reçoit le genre et le nombre du groupe sujet.

▶ *Elle* ***était émue*** *de nous voir tous et toutes à table.*

▶ *Les personnages* ***semblaient sortis*** *tout droit d'un conte de fées.*

L'accord du participe passé attribut du CD et employé avec un verbe qui exprime une perception ou un jugement (*croire, juger, percevoir, sentir,* etc.)

Le participe passé reçoit le genre et le nombre du noyau du groupe de mots compléments direct (CD).

attr. du CD *invités*

▶ *J'ai senti nos invités **froissés** par cette remarque.*

CD

L'accord du participe passé du verbe pronominal

Le participe passé des **verbes essentiellement (toujours) pronominaux, des verbes occasionnellement pronominaux de sens passif** ou **équivalents à des verbes actifs** reçoit le genre et le nombre du noyau du groupe sujet.

▶ *Nous **nous sommes souvenus** de sa dernière visite.*

(verbe essentiellement pronominal)

▶ *La vaisselle **s'est cassée** au contact de l'évier.*

(verbe occasionnellement pronominal de sens passif – ***se casser*** a le sens d'***avoir été cassé***)

▶ *Vous **vous êtes servies** sans problème de ce logiciel.*

(verbe occasionnellement pronominal équivalent à un verbe actif – ***se servir*** a le sens d'***utiliser***)

Le participe passé des **verbes occasionnellement pronominaux de sens réfléchi ou de sens réciproque** reçoit le genre et le nombre du 2e pronom personnel.

▶ *Vous **vous êtes servies** sans nous attendre.*

(verbe occasionnellement pronominal de sens réfléchi)

▶ *Les enfants **se sont querellés** tout l'après-midi.*

(verbe occasionnellement pronominal de sens réciproque)

Attention !

1. Lorsque le 2e pronom est un CI, le participe passé est invariable.

▷ *Nous **nous sommes donné** beaucoup de mal pour faire ce travail.*

CI

2. Lorsqu'il y a un CD à droite du verbe, le participe passé est invariable.

▷ *Vous **vous êtes peigné** les cheveux.*

CD

▷ *Ils **se sont laissé** mourir.*

CD

Remarque

Les participes passés de certains verbes pronominaux sont toujours invariables.

- *s'appartenir*
- *se complaire*
- *se convenir*
- *se déplaire*
- *se mentir*
- *se nuire*
- *se parler*
- *se plaire*
- *se rendre compte*
- *se ressembler*
- *se rire de*
- *se sourire*
- *se succéder*
- *se suffire*
- *se survivre*

L'accord du participe passé avec l'auxiliaire *avoir*

Le participe passé des verbes transitifs directs reçoit généralement le genre et le nombre du noyau du CD lorsque celui-ci est placé à sa gauche.

- *Les feuilles que **nous avons ratissées** étaient toutes rouges.*

  CD antécédent de *feuilles*

- *Ces exercices, je les **aurai terminés** dans cinq minutes.*

  CD antécédent d'*exercices*

Remarque

Le participe passé suivi d'un verbe à l'infinitif s'accorde si le CD, placé à sa gauche, fait l'action exprimée par le verbe à l'infinitif.

- *Les fleurs qu'il **a vues** pousser étaient magnifiques.*

Remarque

1. Le participe passé ***fait*** suivi d'un infinitif est toujours invariable.
   - *Les fleurs qu'il **a fait** livrer étaient magnifiques.*
2. Lorsque le CD placé à la gauche du participe passé est un *nom collectif* + de + *nom*, le participe passé s'accorde selon le sens.
   - *Le bouquet de fleurs qu'il **a livré** dégageait un splendide parfum.*
   - *La somme d'exercices que nous **avons faits** étaient difficiles.*
3. Lorsque le CD placé à la gauche du participe passé est un *adverbe de quantité* + de + *nom*, le participe passé s'accorde avec le nom.
   - *Combien de personnes **avez-vous consultées?***
   - *Combien d'acteurs **as-tu rencontrés**?*

Remarque

Avec **peu de** + *nom*, le participe passé est invariable.

▶ *Le peu d'exercices qu'il* ***a complété*** *explique ses difficultés.*

Attention !

1. Le participe passé des verbes impersonnels est toujours invariable.

   ▷ *La dernière fois qu'il* ***a neigé,*** *je suis allé skier.*

2. Le participe passé est invariable lorsque le CD est une phrase.

   ▷ *La journée a été plus chargée que nous l'****avions pensé.***

3. Le participe passé est invariable lorsque le CD est le pronom ***en.***

   ▷ *Cette belle tarte, vous m'en* ***avez donné.***

Index des verbes

▶ accroître accru, ue (PR) 104
s'accroupir (i, ie) (PR) 43
accueillir accueilli, ie 64
acculer (é, ée) 12
accumuler (é, ée) (PR) 12
accuser (é, ée) (PR) 12
acérer (é, ée) 22
acétifier (é, ée) 32
achalander (é, ée) 12
s'acharner (é, ée) (PR) 12
acheminer (é, ée) (PR) 12
▷ acheter (é, ée) (PR) 25
achever (é, ée) (PR) 27

▷ **Verbe modèle** régulier en *-er*.

▶ **Verbe modèle** régulier en *-ir/-issant*.

▶ **Verbe modèle** irrégulier (*aller*, verbe en *-ir*, en *-re* et en *-oir*).

Premier et **dernier** verbe de la page.

abaisser – achever

A

▶ accroître accru, ue (PR) 104
s'accroupir (i, ie) (PR) 43
accueillir accueilli, ie 64
acculer (é, ée) 12
accumuler (é, ée) (PR) 12
accuser (é, ée) (PR) 12
acérer (é, ée) 22
acétifier (é, ée) 32
achalander (é, ée) 12
s'acharner (é, ée) (PR) 12
acheminer (é, ée) (PR) 12
▷ acheter (é, ée) (PR) 25
achever (é, ée) (PR) 27

Verbes réguliers en *-er* et en *-ir/-issant* en noir.

Abréviation *inv.* signifiant que le participe passé de ces verbes est invariable.

Verbes irréguliers en rouge avec leur participe passé écrit au long.

Renvois donnant pour chaque verbe le numéro de page de son verbe modèle.

Finales des participes passés des verbes réguliers en *-er* et en *-ir/-issant*.

166 Index des verbes | verbe impersonnel IMP | verbe toujours pronominal (PR) | verbe parfois pronominal (PR)

auxiliaire *être* ÊTRE | auxiliaires *avoir* ou *être* A/E | Index des verbes 167

Notes expliquant les caractéristiques de certains verbes.

Légende des pictogrammes présentant les caractéristiques de certains verbes.

B

auxiliaire *être* ÊTRE auxiliaires *avoir* ou *être* A/E

C

auxiliaire *être* ÊTRE auxiliaires *avoir* ou *être* A/E

auxiliaire *être* ÊTRE auxiliaires *avoir* ou *être* A/E

auxiliaire *être* ÊTRE auxiliaires *avoir* ou *être* A/E

G

auxiliaire *être* ÊTRE auxiliaires *avoir* ou *être* A/E

J

auxiliaire *être* ÊTRE   auxiliaires *avoir* ou *être* A/E

M

auxiliaire *être* ÊTRE auxiliaires *avoir* ou *être* A/E

N

O

auxiliaire *être* ÊTRE auxiliaires *avoir* ou *être* A/E

P

Q

R

auxiliaire *être* ÊTRE auxiliaires *avoir* ou *être* A/E

S

 verbe impersonnel IMP verbe toujours pronominal PR verbe parfois pronominal (PR)

auxiliaire *être* ÊTRE auxiliaires *avoir* ou *être* A/E

U

auxiliaire *être* ÊTRE   auxiliaires *avoir* ou *être* A/E

W

Z

Index des difficultés (formes conjuguées particulières)

Index de la grammaire du verbe